PARA SER
FELIZ
NO AMOR

CIP-BRASIL. CATALOGAÇÃO NA PUBLICAÇÃO
SINDICATO NACIONAL DOS EDITORES DE LIVROS, RJ

G391p
Gikovate, Flávio
　Para ser feliz no amor : os vínculos afetivos hoje / Flávio Gikovate. – São Paulo : MG Editores, 2016.
　168 p.

　ISBN 978-85-7255-123-6

　1. Psicologia. I. Título.

16-34260　　　　　　　　　　　　　　　　　　　CDD: 155
　　　　　　　　　　　　　　　　　　　　　　　CDU: 159.92

www.mgeditores.com.br

Compre em lugar de fotocopiar.
Cada real que você dá por um livro recompensa seus autores
e os convida a produzir mais sobre o tema;
incentiva seus editores a encomendar, traduzir e publicar
outras obras sobre o assunto;
e paga aos livreiros por estocar e levar até você livros
para a sua informação e o seu entretenimento.
Cada real que você dá pela fotocópia não autorizada de um livro
financia o crime
e ajuda a matar a produção intelectual de seu país.

PARA SER FELIZ NO AMOR

Os vínculos afetivos hoje

Flávio Gikovate

MG EDITORES

PARA SER FELIZ NO AMOR
Os vínculos afetivos hoje
Copyright © 2016 by Flávio Gikovate
Direitos desta edição reservados por Summus Editorial

Editora executiva: **Soraia Bini Cury**
Assistente editorial: **Michelle Neris**
Capa: **Alberto Mateus**
Projeto gráfico e diagramação: **Crayon Editorial**
Impressão: **Sumago Gráfica Editorial**

MG Editores
Departamento editorial
Rua Itapicuru, 613 – 7º andar
05006-000 – São Paulo – SP
Fone: (11) 3872-3322
Fax: (11) 3872-7476
http://www.mgeditores.com.br
e-mail: mg@mgeditores.com.br

Atendimento ao consumidor
Summus Editorial
Fone: (11) 3865-9890

Vendas por atacado
Fone: (11) 3873-8638
Fax: (11) 3872-7476
e-mail: vendas@summus.com.br

Impresso no Brasil

INTRODUÇÃO 7

1 • ANTES DO INÍCIO DOS NAMOROS *15*
2 • AS ESCOLHAS AMOROSAS *25*
3 • O MEDO DO AMOR *43*
4 • O QUE FUNCIONA E O QUE NÃO FUNCIONA
     NOS NAMOROS *56*
5 • SEXO, CIÚME E LEALDADE *79*
6 • AS CRISES, O FIM DO NAMORO E A SUPERAÇÃO *104*
7 • SER SÓ *119*
8 • NAMOROS QUE PERDURAM: CASAR OU NÃO? *132*
9 • O CASAMENTO *144*

EPÍLOGO *157*

Para ser feliz no amor

introdução

Não é fácil entender tudo que aconteceu conosco – e com nosso jeito de viver – nos últimos 50 ou 60 anos, mas o fato é que, em termos bem amplos, evoluímos. Nossa qualidade de vida está melhor, a longevidade cresceu, os avanços científicos e tecnológicos foram espetaculares e adquirimos um grau de liberdade enorme (o qual nem sempre nos sentimos competentes para utilizar). Como a velocidade das mudanças tem sido assombrosa, muitos são os que não conseguem acompanhar todas as novidades; e alguns, sem entender muito bem as razões, são contra tudo que não esteja em concordância com o modo como aprenderam a pensar. Com tantas mudanças, o jeito de ser, de pensar e de se comportar das pessoas está bem diversificado, o que até poderia ser bom. Porém, só alguns poucos sabem conviver com os diferentes – a grande maioria de nós, não suportando as divergências, age de modo crítico, ácido mesmo.

Não posso deixar de registrar como as mudanças que produzimos no mundo material forçosamente influenciam nosso modo de existir. Temos pouquíssima autonomia: um fato implica o outro. É impossível inventar a internet – que permite contatos até mesmo íntimos entre pessoas que não se conhecem pessoalmente – e supor que nada mudará. Como sabemos, cresceu o número dos que se conhecem por essa via, namoram sem jamais ter se encontrado, trocam "estímulos eróticos virtuais" – falas, imagens transmitidas por câmeras etc. – bastante gratificantes, apesar da inexistência dos de caráter táctil... Da mesma forma, surgem paixões intensíssimas e decepções de igual dimensão.

A emancipação econômica, social e sexual das mulheres é outra variável que vem determinando mudanças extraordinárias. Os equipamentos eletrodomésticos também têm interferido no modo de ser dos homens, hoje cada vez mais competentes para viver sozinhos. As mulheres e os homens estão mais aptos para a solidão, ao menos do ponto de vista operacional. Apesar dessas facilidades práticas, ainda são poucos os que optam por esse estilo de vida, mas esse número está crescendo rapidamente, de modo que muitos tenderão a preferir namorar em vez de se casar. Inúmeras mulheres optam por não ter filhos e estão sofrendo hoje menos preconceito por essa escolha. Cresce o número daquelas que ganham bem e, em breve, a média de ganho delas suplantará a dos homens, pois elas são mais esforçadas e estudam mais. Tudo isso exigirá uma nova ordem no contexto familiar – se é que este continuará a existir do modo como o conhecemos.

Mulheres independentes não se submeterão aos caprichos dos homens cuja mentalidade remonta ao século XIX.

Ao contrário, elas terão de ser tratadas de modo igualitário, ou seja, seus pontos de vista também deverão ser levados em conta e respeitados. O diálogo sofisticado entre os parceiros será imperativo, sendo este um grande obstáculo a ser superado: as pessoas em geral não toleram verdadeiramente as diferenças de opinião – muito menos quando a divergência acontece no seio da relação sentimental. Como o parceiro amado ousa discordar? Então surgem as brigas, chamadas de "normais" – que, a meu ver, são um forte indicador de como ainda prevalecem as mentes essencialmente intolerantes.

Se a evolução humana traz melhorias consideráveis, carrega consigo também alguns dilemas, o que não é necessariamente negativo. Dilemas foram feitos para instigar nossa criatividade e nos impulsionar na busca de novas soluções. Sou e sempre fui otimista. Sempre gostei das dúvidas e das contradições. Novos problemas são parte da existência da nossa espécie. Como serão os relacionamentos que se construírem entre parceiros independentes e mais evoluídos como indivíduos? Que novos impasses surgirão e como resolvê-los? Creio ter condições de contribuir com algumas respostas, entre outras razões por ter tido o privilégio de acompanhar as mudanças no estilo de vida das pessoas ao longo de cinco décadas de trabalho como psicoterapeuta – e de sempre ter preferido observar os fatos a interpretá-los de acordo com teorias previamente construídas.

Uma tarefa importante para quem observa as modificações e inovações cada vez mais comuns consiste em separar o joio do trigo: as mudanças que correspondem a efetivas evoluções e tenderão a se perpetuar precisam ser separadas daqueles modismos que, de repente, deixam de prevalecer. Não é nada fácil saber se a tendência atual de ter tatuagens será duradoura, se os corpos sarados vieram para ficar, se tanto a vaidade masculina quanto a feminina continuarão a se exercer da forma como temos visto, se as mulheres tomarão de fato a iniciativa com os homens de uma maneira que nunca fizeram... Um dos critérios que sempre me vêm à mente diante desses dilemas é que as novidades que estiverem em desacordo radical com nossa natureza biológica durarão pouco; perdurarão as que forem capazes de produzir mais bem-estar, o que implica certa harmonia com a forma como fomos constituídos.

O padrão antigo de relacionamentos afetivos era simples e repetido por todos: os jovens se conheciam (ou, mais antigo ainda, eram apresentados por seus familiares), começavam a namorar, quando achavam que combinavam de modo consistente ficavam noivos e um tempo depois se casavam. Passado um curto intervalo, tinham um filho, e dois anos depois tinham outro. O processo era fácil, estabelecido previamente e seguido à risca por todos; vivíamos como uma espécie composta por criaturas que percorriam uma rota única e inexorável. Hoje os moços e moças "ficam", depois vem o "rolo", um eventual namoro que pode ou não implicar casamento, morar juntos sem se casar, ter ou não filhos etc. O número de divórcios cresceu enormemente, de modo que não são raros os que namoram depois de mais "velhos"; namoram e casam-se de novo; ou se tornam "namoridos" – mescla de namoro com comprometimento, mas sem coabitação nem divisão de ganhos ou tarefas. Enfim, hoje o namoro não tem mais idade nem segue um único modelo. Temos de falar em vários tipos de namoro.

No sexo também as mudanças são marcantes. As relações entre os que ficam ou estão "de rolo" costumam se dar com naturalidade e fazem parte do caminho do conhecimento íntimo necessário para que decidam se o relacionamento continuará ou não. Casais de todas as faixas etárias se comportam da mesma forma. É claro que esse tema ainda é controverso, não sendo poucos os homens – jovens ou velhos – que continuam a dividir as mulheres entre as que são "para brincar" e as que são "para casar". Isso conforme a discrição ou disponibilidade para as intimidades eróticas. Ou seja, aqui, como em todos os setores, a mentalidade tradicional convive com as inovações que surgem de forma natural e têm revolucionado nosso jeito de viver. Digo que a evolução foi natural porque tanto o "ficar" como essas diversas formas de convívio não foram gerados por teóricos do amor ou do sexo; surgiram de modo espontâneo no seio da vida social, quase sempre por iniciativa dos mais jovens. Apareceram naturalmente, mas são um subproduto da descoberta e da comercialização da pílula anticoncepcional – um dos grandes desencadeadores de todo o processo de mudança.

Assim como existem homens que discriminam as mulheres sexualmente mais disponíveis, ainda há mulheres que não se conformam em dividir a conta num restaurante e esperam que o homem seja, além de protetor, provedor. Ainda há moças que engravidam contra a vontade do parceiro no intuito de auferir vantagens materiais por essa via. Ou seja, temos um pouco de tudo; porém, alguns tipos de comportamento estão com os dias contados, enquanto outros vêm moldando os novos padrões de relacionamento. Não creio que viveremos novamente um estilo de vida padronizado como acontecia até há pouco tempo. Haverá multiplicidade. Porém, dentro da multiplicidade, algumas variáveis tenderão a se fixar.

Uma variável que com certeza vai se consolidar e perdurar tem que ver com a alteração do critério de escolha do parceiro sentimental. Não se trata de um aspecto secundário, menor, pois no mundo contemporâneo, em que homens e mulheres – escrevo no contexto heterossexual, mas penso ser tudo válido para o universo homossexual, ao menos no aspecto afetivo – têm evolução similar, não cabe mais pensar num arranjo em que um comande e o outro acate. Assim, as afinidades são essenciais, sob pena de se viver um eterno dilema acerca de qual caminho seguir. Quanto maiores as afinidades, maior a facilidade de convívio num vasto universo de possibilidades de lazer e cultura.

Apesar de todo mundo estar de acordo com a tese de que as afinidades são fundamentais, o fato é que a grande maioria dos casais continua a se formar entre pessoas portadoras de grandes diferenças, muitas delas complementares. Assim, fala-se em "almas gêmeas", mas na hora de escolher a parceria estável observa-se a aliança da "tampa com a panela". Deve existir um importante obstáculo na consecução desse projeto de alianças baseadas em afinidades; caso contrário, já teriam se estabelecido há várias décadas. É justamente porque essa transição não se completa que continuam tão altos os índices de divórcio, sempre superiores a 50% em relação ao número de casamentos.

Nunca vivemos um período de tão rápidas transformações no nosso hábitat, o que impõe mudanças de costumes. Nunca tivemos de passar por um obstáculo dessa monta e nessa velocidade; nossa capacidade de mudança interior parece ser menor do que a que conseguimos impor ao meio, de modo que temos sofrido bastante ao longo das últimas décadas. Não espanta, pois, que a maioria das pessoas conserve um pé no passado e se sinta meio perdida, sem saber direito onde apoiar o outro pé. Quase todos convivem com certas contradições que não conseguem resolver; é um momento triste.

Para ser feliz no amor
Flávio Gikovate

Creio que a consolidação dos novos costumes sempre acaba por acontecer, adequando o modo de viver das pessoas às mudanças objetivas do meio. Acredito também que esse processo inexorável pode avançar com mais ou menos rapidez. Ideias novas e consistentes costumam se consolidar mais depressa. Assim, quando se vive numa época como a atual – em que os obstáculos que têm impedido boas experiências amorosas estão pouco claros para a maioria das pessoas –, reflexões que ajudem a compreender melhor o que está entravando os avanços ansiados tornam-se úteis. Aqueles que forem capazes de avançar mais rápido poderão vivenciar as delícias dos bons relacionamentos que, acredito, dominarão a vida afetiva das futuras gerações.

O caminho para a felicidade sentimental é relativamente simples. Ele é rico em obstáculos, todos eles difíceis de ser superados, mas passíveis de ser ultrapassados – desde que se tenha ciência de como se formaram e de algumas sugestões importantes para otimizar as chances de sucesso. Este é o meu objetivo aqui: utilizar o conhecimento empírico e teórico que venho acumulando para formular diretrizes práticas capazes de ajudar as pessoas a concretizar o tão sonhado encontro amoroso de qualidade.

1 ANTES DO INÍCIO DOS NAMOROS

Os "namoros" infantis, aqueles em que duas crianças decidem que são namoradas, não são objeto de atenção aqui. Creio que eles correspondem, mais que tudo, a uma imitação do que elas observam no comportamento dos mais velhos, o que tem acontecido muito ultimamente. Se antes as crianças gostavam da vida que levavam, hoje parecem não ver a hora de adolescer. Algumas meninas de 7 ou 8 anos já estão nos salões de beleza se enfeitando e, é claro, já pensam em namorar. Os meninos, que antes só se interessavam por seus jogos e esportes, vêm, aos poucos, aderindo a esses "compromissos". Não consigo ver nisso outra razão que não o fato de que a qualidade de vida das crianças está piorando ou tem sido socialmente depreciada – ou os dois. Ao mesmo tempo, há uma supervalorização da vida adulta, sobretudo dos seus aspectos sensuais. Vamos saber em breve se isso é modismo ou algo que veio para ficar.

Parece-me que os jovens chegam à puberdade e à adolescência cheios de otimismo, esperanças e ilusões. Sabem pouco acerca da realidade da vida e se acham muito bem informados. É claro que existem exceções, mas os que pensam que sabem "aprenderam" observando o seu meio e, acima de tudo, em redes sociais, blogues e sites de todo o tipo. Vivem, como regra, uma realidade precária, em ambientes familiares conflituosos ou já rompidos. Acompanham a vida das celebridades e sonham com algo similar. Ficam perdidos diante do intenso despertar dos impulsos eróticos, até hoje confundidos com sentimentos amorosos – o que é um grave equívoco endossado pelo pensamento psicológico tradicional. Quase sempre sonham com uma vida emocionante, sendo o contraste com a realidade brutal e frustrante.

Entristeço-me ao pensar que a euforia e o vigor juvenis aos poucos se transformam em desilusões, desesperança e tristeza afogadas cada vez mais no álcool ou em outras drogas. Hoje, os jovens de ambos os sexos bebem demais desde os 15 anos de idade, o que está longe de ser bom sinal. Muitos são os que se desinteressam dos estudos ao perceber as dificuldades que terão de enfrentar. Não foram preparados para adversidades; ao contrário, esperavam uma juventude fácil, gratificante e recheada de prazeres de todos os tipos.

No plano da aparência física, são poucos os que se consideram felizes com o corpo que têm. A maioria desenvolve e cultiva sistemáticos sentimentos de inferioridade, uma vez que se compara com os padrões extraordinariamente elevados de modelos, atrizes e atores famosos. Os moços acham que não têm o sucesso desejado porque não são suficientemente altos, sarados, populares. As moças gostariam de ter uns quilos a menos, seios maiores – ou menores, tanto faz.

A inveja e a competição derivadas da valorização excessiva desses componentes prejudicam desde cedo as relações de amizade.

Os jovens se esforçam para se distanciar da família e ganhar alguma independência. Formam grupos de colegas nos quais, como eu disse, as amizades desprovidas de rivalidade se tornam cada vez menos comuns. "Ficando", experimentam as primeiras sensações eróticas relacionadas à troca de carícias. Os moços se masturbam muito, valendo-se do farto material encontrado na internet, em que "aprendem" quase tudo que sabem acerca do sexo – desnecessário dizer que aprendem de modo bastante equivocado. Hoje, mais moças se masturbam, mas não todas. Não por preconceito ou repressão, mas porque não veem vantagem em se estimular ao perceber que a descarga orgástica não provoca o alívio e o relaxamento intenso tão esperados.

Muitas moças acabam se afastando dos prazeres eróticos propriamente ditos e, tomando por base o que observam, procuram desenvolver o aspecto da sexualidade que envolve o jogo de sedução – embora ele não seja o único nem o melhor roteiro para o erotismo feminino. Ainda que de forma intuitiva, ao perceber que, no jogo erótico, estão em pior situação, os rapazes se especializam em elaborar artimanhas para neutralizar a desvantagem que deriva do fato de eles serem mais visuais do que elas – o que faz que desejem mais do que se sentem desejados. Aos poucos, aprendem a desenvolver um ritual de sedução e conquista que envolve, em geral, uma série de mentiras voltadas para o lado romântico, nas quais sugerem a possibilidade de um eventual relacionamento amoroso. Além disso, aprendem a fazer os elogios capazes de incensar a vaidade das moças, o que as torna bem mais vulneráveis.

É claro que nem todos os rapazes são tão competentes para essa "conversa fiada" falsa que tem por objetivo "amolecer" a resistência feminina. Sentindo-se fracassados e tristes, estes gostariam de ser bons paqueradores, mas não sabem mentir nem conseguem prometer o que não vão cumprir. Creem estar perdendo oportunidades eróticas interessantes e cultivam um enorme sentimento de inferioridade. Invejam os que conseguem ter acesso a um grande número de parceiras sexuais e sentem que não lhes resta outra alternativa senão buscar uma namorada. Nem sempre é aquilo de que eles gostariam, mas é o que conseguem.

Os moços de mente mais delicada não são capazes de reconhecer virtude nessa conduta cautelosa que respeita os sentimentos das moças; não se reconhecem como portadores de um sentimento moral mais acurado, muito menos se veem como pessoas mais legais. É triste constatar que, nesse simples aspecto ligado ao jogo erótico, já se observa uma completa subversão dos valores éticos: os decentes padecem e se consideram inferiores, menos dotados, enquanto que mentirosos são tidos como superiores e assim se sentem!

Essas inversões de valores são graves, pois tais erros de avaliação podem gerar sérios desdobramentos negativos no futuro.

A chegada do "ficar", a partir dos anos 1990, trouxe conforto aos adolescentes mais inibidos e incompetentes para a paquera agressiva. O processo se tornou mais simples, já que, numa festinha, os rapazes e moças se cruzam com facilidade, trocam poucas palavras e mais ou menos rapidamente se atracam, trocando carícias limitadas em um ambiente público e por isso mesmo protegido contra exageros. Nesse contexto, a habilidade para longas e falsas "conversas românticas" é desnecessária, de modo que os mais tímidos e sinceros também podem se valer das intimidades físicas sem compromisso e sem necessidade de prometer aquilo que sabem que não vão cumprir. O avanço provocado pelo ficar é inestimável nessa e em tantas outras áreas das relações pessoais. Meu otimismo se alimenta muito da existência de fatos aleatórios desse tipo. Eles surgem do nada e se perpetuam por serem um avanço de fundamental importância.

Depois da fase inicial da puberdade e do começo da adolescência, em que predominam pensamentos e práticas eróticos, aparecem os primeiros anseios de natureza sentimental. Rapazes e moças distanciam-se ainda mais da família e, mesmo se aproximando do grupo de amigos, experimentam uma sensação de desamparo – algo similar ao que sentiam quando, ainda crianças, iam sozinhos para a cama. A sensação de incompletude parece pedir o encontro de um parceiro, alguém com quem se aconchegar. Tudo que sentem é vivenciado de forma difusa, uma vez que não costumam dispor de conhecimento, de informações suficientes a respeito desses assuntos essenciais. Não sabem nada acerca do amor, das carências, das sensações íntimas. Nada disso é objeto de estudo nas escolas nem de discussões claras em família ou entre amigos.

Os sonhos românticos tornam-se mais fortes e, repentinamente, alguém parece configurar-se como o parceiro ideal, sendo eleito objeto do amor. Pode ser um personagem distante – um ator, cantor, esportista famoso –, um colega de classe, professor ou irmão de uma amiga. O sentimento costuma ser mantido em sigilo, talvez compartilhado com um amigo mais chegado. O objeto do amor, mesmo quando próximo, não é informado do que o/a jovem está sentindo. O amor em fantasia é um fenômeno curioso, pois é o primeiro indício da existência de um medo associado a esse sentimento. É claro que a intimidade sexual também pode provocar medo, tanto nas meninas como nos rapazes – sobretudo quando, no passado, eles eram obrigados a se submeter ao teste de virilidade se encontrando com uma profissional contratada por algum parente mais velho. Porém, tenho a impressão de que o amor provoca ainda mais medo do que o sexo.

Não é impossível que o medo derive, ao menos em parte, do desconhecimento. É incrível como, mesmo nos dias que correm, os adultos e educadores não

Para ser feliz no amor
Flávio Gikovate

conseguem contribuir para a formação sentimental dos jovens. Afinal, eles também não sabem exatamente o que se pode esperar do amor. Na cabeça dos adultos, o amor ainda é entendido como a mais maravilhosa sensação que se pode experimentar. Consideram o processo de encantamento parte de uma mágica, fruto da flechada do cupido. Muitos pensam que, ao amar, serão igualmente amados. Creem que, existindo o amor, tudo dará certo e todos os dilemas se dissolverão. O amor aparece como um coringa, algo mágico e insuperável. Tudo errado.

Ninguém se dispõe a discutir os aspectos práticos e racionais relacionados com o sentimento amoroso: "É coisa para poetas e não para profissionais de psicologia". É proibido tentar dissecar os ingredientes que fazem surgir esse sentimento. A ignorância se transforma em virtude e tentar desvendar a "mágica" do amor vira heresia. Tudo aparece de modo sinistro, cercado de mistérios insondáveis, de modo que os jovens, com toda razão, preferem experimentar as sensações românticas de forma unilateral: como mergulhar em águas tão ameaçadoras e desconhecidas? Não resta outra solução senão a de se voltar para o mundo da fantasia, onde os sofrimentos não são tão ameaçadores quanto os da realidade. Não haverá o risco de rejeição porque o amado não será informado do sentimento a ele dedicado. Não haverá real risco de ruptura porque não terá havido efetiva aliança, e assim por diante. É um treinamento para algo que será vivenciado só algum tempo depois.

Para ser feliz no amor
Flávio Gikovate

Aqueles jovens que conseguem desenvolver uma razoável autoestima, tornam-se mais independentes e com boa tolerância às frustrações e contrariedades terão menos medo de se aventurar nas primeiras experiências amorosas lá pelos 16 ou 17 anos de idade. Sua boa autoestima depende da capacidade de não se deixarem seduzir tão drasticamente pelos valores propostos pelo meio social (ser alto, bonito, sarado, extrovertido).

Não é fácil ter a autonomia, sobretudo na mocidade, para não se deixar envolver pelo que dizem as redes sociais e os meios de comunicação. O conhecimento, os estudos, a dedicação aos interesses pessoais com disciplina e afinco, os prazeres auferidos das realizações individuais talvez sejam os principais recursos a ser usados para que a autoestima se liberte, ao menos em parte, dos valores culturais atuais – todos eles fúteis e extremamente aristocráticos, ou seja, capazes de privilegiar apenas uma ínfima parcela da população.

Penso também que o processo educacional deveria estimular as crianças, desde cedo, a aprender a lidar com perdas, dores e fracassos. Superprotegê-las implica enfraquecê-las de um modo tal que tenderão a se acovardar diante de situações em que possa haver sofrimento. E o amor é uma delas, pois todo elo que se estabelece pode ser fonte de sofrimento em caso de ruptura. Os que têm medo de sofrer tornam-se incompetentes para o amor. Como não têm coragem para amar, só lhes resta buscar relacionamentos nos quais são amados por aqueles que são mais ousados mas ainda não estão prontos para o amor correspondido. Percebem que amar corresponde a uma sensação bem mais intensa e gratificante do que ser o objeto do amor, mas não têm coragem para ir além disso.

Acredito piamente no conhecimento. Acho que se formos capazes de acumular um conjunto sólido de informações acerca do fenômeno amoroso teremos muito mais chance de sucesso nas empreitadas sentimentais. Não que o conhecimento acabe com os obstáculos e dificuldades, assunto dos próximos capítulos, mas gera meios para enfrentarmos os problemas que certamente surgirão pelo caminho. É claro que, além de conhecimento, é essencial ter disciplina e coragem para não fugir das situações que provocam medo mas não são, de fato, tão perigosas. Em uma palavra, aqueles que desenvolveram maior maturidade emocional chegarão ao início da adolescência com muito mais recursos para enfrentar os inesperados obstáculos da vida adulta – entre eles as primeiras e complexas experiências sentimentais.

A maturidade emocional depende de uma educação não exageradamente protetora, que estimule o senso de responsabilidade. Deve ficar claro para a criança e, depois, para o jovem que a independência tem de ser o objetivo e o destino final de todos os que se tornam adultos. Falo em independência sobretudo para dizer que o amor implica, ao menos em uma primeira fase, forte dependência; só não sendo assustadora para aqueles que conseguiram se emancipar. Pode parecer complicado e contraditório, mas é isto mesmo: só consegue se entregar às delícias e aos perigos da dependência amorosa os que sabem que conseguem sair dela e resgatar sua identidade caso isso se torne necessário. **Amadurecer abre portas, cria expectativas positivas e gera alegria, otimismo e bom humor.**

A preocupação com a boa qualidade de vida é fato recente nos textos psicológicos e psiquiátricos. Até há pouco tempo, os profissionais só estavam interessados e atentos às neuroses, aos traumas, às fobias, aos distúrbios de personalidade de todos os tipos... Minha ocupação e minha preocupação psicoterápicas sempre estiveram voltadas para os dilemas e dificuldades das pessoas chamadas de "normais". Além de ajudar indivíduos com dificuldades específicas, a psicologia, como ciência, deve estudar os meios de aprimorar o cotidiano das pessoas, de promover uma existência mais gratificante e rica. Não se trata "apenas" de ajudar algumas a sair do "buraco" em que se encontram. Trata-se também de contribuir para que elas voem mais alto e vivam com mais sabedoria e intensidade. É nesse contexto, hoje chamado de psicologia positiva, que se enquadra o que vocês vão acompanhar a seguir.

2 dois — AS ESCOLHAS AMOROSAS

Pode parecer estranho para muitos, mas o fundamental para os que desejam, de fato, encontrar uma aliança sentimental prazerosa, enriquecedora e longeva, consiste na escolha do parceiro adequado. Não se trata de empreitada fácil, pois não estou imaginando um processo exclusivamente racional, algo parecido com o que acontecia no passado – quando as famílias escolhiam os noivos para seus filhos segundo critérios que contemplariam sobretudo os interesses práticos delas e, supostamente, também os deles. Porém, também não penso na escolha como algo aleatório, casual, um puro encantamento do tipo "amor à primeira vista" – embora isso possa acontecer. Nem só racional nem só emocional, a escolha deve contemplar todos os ingredientes da nossa subjetividade, o que demanda ultrapassar uma série de obstáculos.

Além de não ser fácil cruzar com alguém que nos encante em todos os aspectos, é preciso que tenhamos cumprido alguns dos requisitos citados no capítulo anterior e ligados ao desenvolvimento pessoal, tanto no plano racional quanto no emocional. Do ponto de vista racional, pessoas mais amadurecidas são, entre outras características, disciplinadas e resilientes – capazes não só de não sucumbir quando submetidas a um trauma como competentes para se recuperar mais ou menos rápido deles. No aspecto emocional, os mais bem formados conseguem, além de tolerar frustrações com dignidade, administrar impulsos difíceis de ser contidos, como ciúme, inveja, raiva... A ausência dessas propriedades descredencia a própria pessoa, que não preenche os requisitos do bom namorado. **Antes de buscarmos encontrar um bom parceiro devemos estar em condições de oferecer-lhe o que gostaríamos de receber.**

É sempre importante diferenciar o amor do sexo: amor implica paz e aconchego ao lado de uma pessoa muito especial, enquanto sexo é excitação e inquietação agradável. Além disso, pode surgir em inúmeras situações, não envolvendo obrigatoriamente um parceiro específico. Apesar das gritantes diferenças entre esses dois impulsos importantíssimos para nossa vida interior, até hoje muitos se confundem, considerando que ambos têm a mesma origem. Essa pode ser a causa do primeiro entre os inúmeros equívocos usuais desse roteiro que poderia ser mais simples: o de encontrar um parceiro com o qual se tenha real afinidade. Quem der muita ênfase à aparência física e ao encantamento erótico que ela pode provocar – fato bem comum entre os homens, mais visuais – aumentará enormemente a chance de erro na escolha.

Pode parecer que os perigos derivados da excessiva valorização da aparência física sejam próprios dos mais jovens, mas não é verdade. Hoje, observa-se um enorme número de homens de mais idade fascinados por mulheres belas e bem mais moças, assim como é crescente o número de mulheres mais velhas orgulhosas de seus parceiros jovens e bonitos. Ao registrar os perigos da excessiva preocupação com a aparência física, não estou desconsiderando a importância da boa intimidade erótica nem desprezando a beleza como variável relevante e influente em muitos aspectos da nossa construção social. A beleza é um fator inato de desigualdade, talvez hoje um tanto mais valorizado do que em outras épocas. Pode servir a muitos propósitos; porém, sua excessiva relevância quando o objetivo é a busca de uma parceria sentimental agradável e estável é duvidosa.

Registre-se que a beleza física não deve ser confundida com a efetiva sensualidade – nem em homens e muito menos nas mulheres. Além disso, corresponde a um óbvio privilégio que pode ser transformado em poder. Se a pessoa bonita não for muito bem-dotada moralmente, poderá fazer uso da beleza como instrumento de dominação e até mesmo como arma para humilhar os eventuais pretendentes. O mau uso de um privilégio pode redundar em malefícios inesperados para seu portador. É o caso das moças mais belas que, muito valorizadas, não raro se tornam particularmente egoístas e imaturas. Nem sempre se dedicaram a desenvolver todas as suas potencialidades, acomodando-se nos benefícios da beleza, propriedade que sempre encantou a tantos homens.

Escolher pela aparência física não é bom, o que não significa que não exista, na mente de cada pessoa, um perfil físico ideal daquela criatura que gostariam de ter

Para ser feliz no amor
Flávio Gikovate

como par. Porém, em geral as pessoas fazem "concessões" e aceitam parceiros que se aproximem do ansiado e não preencham todos os requisitos sonhados. É claro que o namorado deve ser objeto de prazer tanto do ponto de vista da intimidade erótica (o que definitivamente não tem relação direta com a beleza física) quanto do fato de "desfilar" ao lado do cônjuge, o que faz bem à vaidade. Todos queremos ter parceiros que nos representem bem socialmente; isso implica outras propriedades além da aparência física, mas ela também conta.

A intimidade sexual propriamente dita deve acontecer em um contexto de recíproca satisfação, sendo um dos ingredientes que, penso, não deve representar mais do que certa fração entre os componentes indispensáveis para que a relação seja gratificante e produtiva. Vejo com reserva as escolhas que acontecem em função de "paixões eróticas avassaladoras". Acho excelente que o clima erótico seja positivo e a intimidade, gratificante para ambos. Porém, o convívio íntimo é apenas uma parcela do que se espera de um relacionamento afetivo. Costumo dizer, em tom de brincadeira, que o sexo não tem importância alguma desde que vá bem!

Creio que a aparência física de um eventual parceiro sentimental deva estar dentro dos parâmetros mínimos

Para ser feliz no amor
Flávio Gikovate

de cada um, além de manter-se em sintonia com os anseios e preferências eróticas de ambos. Afora isso, estamos diante da interferência da vaidade, esse componente da nossa sexualidade que pede destaque o tempo todo. E um dos modos de se destacar é desfilar com uma pessoa bonita, condição muito valorizada "pelos outros", mas de pouca serventia entre quatro paredes.

A vaidade costuma interferir de modo negativo em todos os processos psíquicos e, com facilidade, induz a erros na escolha dos parceiros sentimentais. Namorar uma pessoa famosa por outros atributos que não a beleza também é interessante para a vaidade daquele que se beneficia desse tipo de sucesso indireto. **A pessoa pode ser famosa por sua condição econômica, por realizar uma atividade socialmente valorizada, por ser autora de um feito incomum. Talvez seja criatura interessante e amorosa, talvez não. Convém agir com cautela e não atribuir a ninguém propriedades que não possuam apenas por nos sentirmos valorizados ao circular ao seu lado.**

Outra vertente da vaidade é a que se manifesta nas disputas amorosas. Experimentamos uma sensação dolorosa de humilhação quando a pessoa que nos interessa não dá sinais de ter achado tanta graça em nós quanto nós nela; ou, então, não se mostra tão disponível por estar vivenciando outro vínculo amoroso. Mais grave ainda é a sensação de rejeição, quebra do elo amoroso associado à humilhação – séria ofensa à vaidade – quando se é abandonado e "trocado" por outra pessoa.

Para ser feliz no amor
Flávio Gikovate

Surge, em boa parte das criaturas, o desejo de reaver aquela relação a qualquer custo. Alguns gostam de dizer que estão lutando para reaver o parceiro amado. Porém, penso que se trata de algo bastante diferente: o resgate do vínculo corresponderia a uma espécie de vitória sobre eventuais rivais e, em certo sentido, o fim do sentimento de humilhação.

A luta para tentar reaver o parceiro "amado" aparece, para muitos, como uma causa justa e nobre em nome da qual vale tudo. O amor justifica que o rejeitado se humilhe e pressione com todas as forças aquele que quis se separar, valendo-se inclusive de mentiras e chantagens emocionais de todo tipo. Ouço essas histórias com bastante frequência e sempre tenho a clara sensação de que o amor, esse apego por aquela pessoa que nos provoca aconchego, pode até existir, mas não é a força motriz dessas ações. Estas parecem, mais que tudo, determinadas pela vaidade, pelo anseio de sair como vencedor e de se livrar da humilhação de ter sido abandonado.

Quando se luta para reconquistar o parceiro, o amor aparece como sentimento que daria dignidade a condutas moralmente duvidosas. Quem ama cuida do amado, quer o melhor para ele e não o obriga a fazer ou agir de forma contrária à sua vontade. Quem ama de verdade não acha que esse sentimento justifica todo e qualquer ato. Não acha que é válido lutar por amor, entendendo-se por "lutar" o esforço de fazer prevalecer a própria

Para ser feliz no amor
Flávio Gikovate

vontade de manter o vínculo quando não é essa a disposição daquele que supostamente é amado. A única luta válida por amor é aquela ligada ao empenho de preservar o relacionamento por meio de cuidados e de dedicação ao amado, e tudo isso na vigência do namoro – e com a devida anuência do parceiro.

Aqueles que se acham no direito de lutar para reaver o elo que se rompeu são justamente os que lidam mal com frustrações e dores psíquicas em geral. É fato que a dor de amor é muito intensa; a ela dedicaremos um espaço maior quando tratarmos das rupturas amorosas. O mais importante aqui é registrar de modo enfático que aqueles que acham válido lutar por amor quando são abandonados costumam ser os que cuidam mal do relacionamento durante sua vigência. Não raro são egoístas, menos capazes de amar e mais competentes para reivindicar, cobrar e exigir atenção e carinho do que para se dedicar ao parceiro.

A palavra "cobrar" é uma das que mais provocam minha indignação. Não creio que tenhamos o direito de cobrar nada de ninguém, muito menos de nossos parceiros sentimentais. É claro que todos temos expectativas em relação às pessoas com as quais convivemos: esperamos algum tipo de cuidado, atenção, carinho. Porém, isso não nos autoriza a exigir que eles satisfaçam nossos desejos; eles deveriam estar bem informados de tudo que gostaríamos de receber. Se não estão dispostos a dar, quem está com problema somos nós, pois teremos de decidir se aceitamos essa situação ou se tomamos uma atitude – que varia de deixarmos de nos dedicar tanto à ruptura do relacionamento. Tudo isso depende da natureza de cada um e também do estado geral em que se encontra aquele dado elo amoroso.

Não deixa de ser curioso observar que pessoas orgulhosas, que gostam tanto de falar bem de si mesmas, são as que mais se humilham no intuito de reaver um elo sentimental perdido. Por vaidade, buscando a vitória final, se colocam como pedintes, mostrando fraquezas que adoram esconder, demonstrando afetos que nunca se manifestaram e arrependimentos que nunca tiveram. Aqueles mais rigorosos moralmente vão até certo ponto em seus pedidos de que o parceiro reconsidere a ruptura, mas não se humilham para neutralizar seu desconforto. Sabem que não é legítimo lutar por amor – ou lutar para reaver o parceiro em nome do amor que sentem.

Não só a vaidade e o fascínio pela beleza e a sensualidade de uma pessoa podem nos induzir a graves erros de avaliação daquele que pretendemos venha a ser objeto do nosso amor, o personagem com o qual nos sentiremos aconchegados e completos. Outro caminho que nos leva ao erro na escolha é a suposição de que cabe ao parceiro o papel de nos proporcionar tudo que nos falta. **É fato que o amado pode nos fazer sentir completos, mas isso deve ser entendido única e exclusivamente no nível do imaginário, simbólico.**

Para ser feliz no amor
Flávio Gikovate

O amado provoca essa sensação, mas não cabe a ele completar nossas efetivas limitações, incompetências e fraquezas.

A confusão em relação a esse aspecto é enorme e talvez tenha sido um dos fatores determinantes para que, ao longo de tantas décadas, os encantamentos amorosos tenham acontecido entre seres complementares, como se um tivesse mesmo, na realidade concreta, de resolver as limitações práticas do outro. Uma pessoa tímida não se interessava por outra com suas características; daria preferência a uma mais extrovertida, por meio da qual solucionaria suas limitações à vida social. Em troca, talvez fosse mais dedicada, servindo o parceiro e agradando a ele em outras questões práticas da vida.

As contradições só crescem quando um elemento simbólico se mistura com o que é real. A ideia de partes que se completam se estabeleceu como a norma social a ser seguida, dando origem a frases do tipo "os opostos se atraem", "dois bicudos não se beijam", o ideal é a "união da tampa com a panela". A atração entre opostos pode existir e indica apenas que a maioria de nós, sobretudo na mocidade, não está nada satisfeita com seu modo de ser. Isso direciona, obrigatoriamente, o fascínio para os que são diferentes.

As diferenças poderiam estar a serviço de "completar", no cotidiano, aquilo que faltava em cada um. Estavam também muito respaldadas nas particularidades dos gêneros, de modo que os papéis masculinos e femininos eram bem demarcados. Aos homens cabia ir em busca do pão; às mulheres, cuidar da infraestrutura doméstica. Eram bastante diferentes e objetivavam acima de tudo os casamentos, sendo os namoros sempre limitados, vigiados e objeto de pouca atenção afora a preservação da "honra" das moças. O universo era visto como essencialmente heterossexual; os homossexuais, tidos como pervertidos, viviam na sombra, escondidos.

Os papéis práticos também estavam, pois, a serviço da constituição de uma aliança em que um completava o outro. Em certos aspectos, o homem era o protetor e a mulher, a protegida. Do ponto de vista do cotidiano doméstico, a mulher cuidava do marido e dos filhos. As diferenças de temperamento, gostos e interesses contavam pouco, pois quase nada se fazia além de tratar das questões concretas da sobrevivência. Os casais tinham vários filhos, a atividade doméstica era árdua e dependente do trabalho manual, a busca do pão também era penosa e não raro insuficiente. Em outras palavras, não havia tempo livre. Além disso, o tipo de entretenimento que hoje consideramos relevantes, afora a leitura, o rádio e uns poucos discos bem precários, só começou a surgir a partir do fim da Segunda Guerra Mundial.

Tirando as questões práticas do dia a dia, marido e mulher tinham poucos motivos para se desentender. E as divergências se resolviam de forma simples: era o homem que decidia! Quando todos os filhos estavam crescidos, o casal já estava velho, sendo a média de vida bem inferior à dos nossos dias. Era tudo muito mais fácil, de modo que não se falava em divórcio a não ser naqueles raros casos em que a mulher praticava o adultério. Aliás, não espanta que naquela época o sexo fosse tratado como algo tão essencial e relevante, como a principal fonte de prazer – a ponto de Freud tratá-lo como ingrediente essencial de nossa psicologia. Tudo que dissesse respeito ao mundo do erotismo era proibido, e tal proibição só fazia aumentar o interesse e os desejos. Os homens frequentavam, vez por outra, os bordéis. Às mulheres só restava sonhar e, vez por outra, cair em tentação.

Essas observações são importantes para sustentar minha afirmação de que, em virtude de o mundo ter mudado tanto nestes últimos cem anos, é indispensável reavaliar todas as regras de convívio, sobretudo do sentimental. Do tempo dos nossos ancestrais sobrou apenas aquilo que era uma característica quase biológica: nossa sensação de incompletude, de não sermos uma unidade plena em nós mesmos, sempre procurando "a metade perdida" (como dizia Platão n'*O banquete*). É como se não nos tivéssemos adequado à ruptura vivenciada ao nascer, restando dessa experiência traumática o anseio de encontrar alguém que, substituindo nossa mãe, nos provoque a sensação de aconchego e completude que experimentamos no útero e, mais tarde, no colo dela.

Hoje, porém, as antigas construções de ordem prática podem, todas elas, ser reavaliadas. Os avanços tecnológicos permitem que as pessoas vivam sozinhas, e muito bem. Homens e mulheres são capazes de ganhar o pão e também de cuidar da casa. Podem se casar ou não, e assim por diante. Outros tempos pedem outros paradigmas.

Assim, a ideia tradicional de que, nos relacionamentos, existam um protetor e um protegido, um provedor e outro que deverá ser provido dificilmente conseguirá permanecer e se consolidar. Apesar de ter caducado em termos práticos, ainda há resíduos desses tempos na mente de homens e mulheres – é o que leva a moça a ficar feliz quando o rapaz paga a conta do restaurante e o que leva o rapaz a se sentir orgulhoso por poder fazê-lo! Acredito que esses comportamentos poderão continuar a existir, agora como forma de carinho, como manifestação de amor, mas deixaram de ser parte efetiva dos papéis de cada um.

Muita gente, sobretudo os mais imaturos, se vale do anseio simbólico de buscar a completude por intermédio de outra pessoa com o objetivo de que ela resolva suas questões práticas. Utilizam a palavra "amor" com segundas intenções. Usam a dependência amorosa simbólica como argumento para seus anseios um tanto oportunistas. Confundem tudo e, "porque amam", se acham no direito de reivindicar cuidados. Para elas, amar implica receber mais do que dar; o parceiro deve cuidar delas à moda antiga, repetindo o papel materno.

Por força de suas dificuldades emocionais, esses indivíduos fazem do amor um "negócio" no qual sempre deverão levar vantagem. Na prática, não lidam bem com o sofrimento e desenvolveram pouca competência para se colocar no lugar dos outros. Em virtude dessa incompetência, permanecem no padrão infantil mais egoísta, no qual a criança considera a mãe amada a grande provedora. Mesmo quando se tornam adultos, veem no amor a oportunidade de reviver a relação original apenas no papel de filhos.

Os mais maduros entendem que tudo é mais simbólico e menos prático. E mais: que no jogo amoroso os papéis de criança e de mãe se alternam. Por vezes o indivíduo protege e por vezes é protegido. Apesar disso, não raramente acabam cedendo às pressões do amado e aceitam o papel de quem dá mais do que recebe no plano operacional. É claro que não estou me referindo aos cuidados concretos, mais que justificados, de quem se dedica ao parceiro em situações especiais. Se a pessoa querida está doente, será cuidada por quem a ama. Ajudas práticas desse e de outros tipos acontecerão sempre, mas fazem parte do que podemos chamar de solidariedade, sentimento comum também entre amigos sinceros e entre parentes com os quais se tem uma relação verdadeira.

Os que estabelecem elos mais operacionais do que sentimentais sofrem com o fato de agir dessa forma. Sabem que isso acontece em decorrência de uma fraqueza dupla: não têm coragem de se arriscar e se entregar de verdade ao elo amoroso nem são autossuficientes, necessitando, portanto, de cuidados essenciais permanentes vindos do outro. São dependentes no sentido prático da palavra, e tanto detestam isso que tratam de escondê-lo das pessoas em geral e principalmente do parceiro. Ameaçam romper o relacionamento o tempo todo, como se isso fosse muito fácil, como se fossem de fato independentes.

Essas criaturas mais imaturas e egoístas podem evoluir a qualquer momento, posto que temos a vida toda para superar nossas limitações. Porém, procuram e encontram parceiros que parecem ter sido feitos sob medida para elas: aqueles que gostam – ou só conseguem – amar sem ser efetivamente correspondidos. Estes também são um tanto imaturos, pois não estão prontos para amar com total intensidade aqueles que os amariam da mesma forma e na mesma medida. Amam e não se incomodam com o fato de serem queridos de outro modo.

Não vejo isso como casualidade nem como fruto de um encantamento no qual a pessoa esperava mais do que recebe e só percebe isso depois de já estar "enfeitiçada". Acho que era exatamente o tipo de relacionamento que os mais generosos buscavam. O generoso ama intensamente aquela pessoa real, mas que vê nele alguém que vai realizar seus anseios e necessidades práticas sem se preocupar em retribuí-los. Se houvesse retribuição não haveria generosidade, pois ela consiste em dar muito e receber pouco.

Na prática, o modo de amar dos generosos se aproxima do amor em fantasia próprio do início da adolescência; a única diferença é que se relacionam com um

Para ser feliz no amor
Flávio Gikovate

parceiro real, mas nem um pouco dedicado: seu amor não é correspondido, sendo assim unilateral. Não é fantasioso, mas de uma mão só. Essa negligência com a reciprocidade define e mede a imaturidade também presente neles.

Em síntese, os mais egoístas não têm coragem de se entregar ao amor com medo de sofrer, enquanto os mais generosos só têm coragem de mergulhar nas águas do amor de forma solitária, sendo observados e admirados da superfície por seus parceiros. Aceitam correr os riscos de sofrer com uma eventual ruptura amorosa, pois se sentem capazes de tolerar esse tipo de dor – e também porque sabem correr pouco risco quando associados a pessoas mais dependentes. Além disso, não são tão corajosos e evoluídos assim, uma vez que também têm medo de certas circunstâncias relacionadas ao amor correspondido, como veremos mais adiante. Temem, ainda, abdicar da generosidade, suposta virtude que incensa sua vaidade e desperta a inveja dos parceiros mais egoístas.

A mim parece claro que esse tipo de aliança, a mais comum entre aqueles que continuam a buscar parceiros complementares, é de difícil evolução espontânea. Os egoístas e os generosos vão adotando posicionamentos cada vez mais radicais. Talvez, internamente, se contentem com as racionalizações, aqueles falsos raciocínios que estão a serviço de esconder as reais motivações. Os egoístas julgam-se espertos por levar vantagens práticas, mas no fundo sabem que estão se enfraquecendo com a dependência. Os generosos acham que, com o tempo, os parceiros acabarão por dar valor ao amor que lhes devotam e tudo terminará bem. A experiência contradiz essa hipótese, mas eles insistem em defendê-la para si mesmos.

A verdade é que tanto egoístas como generosos não estão prontos para mais do que isto: relacionamentos recheados de atritos, brigas e incompreensões de todo tipo. Tanto é verdade que, quando esses elos se rompem antes de estar mais amadurecidos, os próximos namorados são escolhidos segundo os mesmos critérios: egoístas escolhem generosos que os escolhem. Tudo se repetirá nos novos relacionamentos. Por esse motivo diz-se que as pessoas têm "dedo podre", ou seja, escolhem sempre segundo os mesmos e equivocados critérios. O certo, porém, seria dizer que eles têm o dedo apontado para o que, de fato, ainda lhes interessa ou são capazes de tolerar.

Pode parecer estranho falar em capacidade de tolerar bons relacionamentos afetivos, mas os fatos mostram que esta é a realidade: pessoas mais generosas que cruzam com outras também generosas costumam sentir enorme simpatia por elas, acompanhada de total desinteresse sentimental. Sobretudo, não sentem nenhum interesse sexual, considerando esse um indício de que o relacionamento não pode ser outro que não o de amizade. Até mesmo indivíduos inteligentes não refletem sobre esse fato que, pensando bem, não faz o menor sentido. Por que tão pouco entusiasmo sexual? Afinal, quase todos eles já mantiveram contatos eróticos com pessoas bem menos atraentes sem nenhuma grande dificuldade.

Já os egoístas, ao cruzar com pessoas semelhantes, tendem a ver nelas figuras eróticas interessantes, mas pouco adequadas para relacionamentos mais estáveis. Sentem-se atraídas do ponto de vista sexual, ao contrário do que acontece com os generosos – o que não deixa de ser uma constatação curiosa. Trata-se de bons parceiros para aventuras rápidas, para o sexo casual; no entanto, são pouco interessantes para namoros mais sérios, pois ambos querem receber mais do que dar, condição na qual as brigas e as cobranças tornam-se intoleráveis.

Fica clara, ao menos a meu ver, a necessidade de uma evolução emocional maior do que a que a maioria das pessoas alcançou até agora para que os relacionamentos baseados em afinidades venham a se tornar a regra. **A tecnologia evoluiu e criou condições para a crescente independência das pessoas, cada vez mais aptas do ponto de vista prático. Gerou condições para alterar o paradigma das relações amorosas, agora visando ao prazer da companhia e não mais às soluções práticas para as complexas questões de sobrevivência. Salvo raras exceções, ainda não estamos prontos para usufruir os benefícios dessa nova realidade.**

É preciso crescer emocional e moralmente. É necessário acabar com a dualidade generoso-egoísta, nociva a todos. Devemos evoluir na direção dos justos, pessoas capazes de dar e receber na mesma medida. O justo é mais evoluído não só no sentido moral como no psicológico:

além de ser autossuficiente, cuida de si com o zelo que os generosos não têm. A maturidade moral corresponde a um caminho complexo, por vezes penoso, mas possível. É um dos grandes obstáculos a ser ultrapassados por aqueles que quiserem vivenciar as delícias de um relacionamento amoroso bilateral e intenso.

Egoístas e generosos que namoram ou convivem deveriam elaborar um plano de ajuda recíproca: o generoso, com a concordância do parceiro, deixa de dizer "sim" quando seu desejo é dizer "não", sabe expor o parceiro a frustrações e aprende a ajudá-lo a tolerar esse tipo de situação – em vez de tentar impedir que ele sofra. O egoísta se esforça para vencer seus medos, aceita correr mais riscos e aprende, com a experiência, a ser mais resiliente. Tudo pode ser alcançado, individualmente ou em conjunto. Se for em conjunto, a relação tornar-se-á rica e evolutiva, o oposto do que vinha acontecendo. Crescimento e evolução provocam enorme prazer, e esse contexto é capaz de aumentar o orgulho e a autoestima das pessoas. O aumento da autoestima estimula novas experiências e novos riscos, capazes de gerar avanços. Compõe-se um círculo virtuoso que substitui o círculo vicioso em que a maior parte das pessoas tem encalhado.

3 três — O MEDO DO AMOR

A sequência dos obstáculos à plena realização amorosa conta com outros elementos importantes que merecem ser citados e mais bem analisados. Um deles, que já foi mencionado de passagem, é de caráter cultural e está ligado ao desconhecimento que a maior parte das pessoas tem a respeito da questão sentimental. Trata-se da expectativa enorme e indevida que tantos têm sobre o que se pode esperar do amor. Talvez pelo fato de serem tão raras as relações amorosas de qualidade – e também porque delas se trata muito menos do que das que são complexas e cheias de sobressaltos –, são inúmeros os indivíduos que supõem que o encontro amoroso corresponderá a uma espécie de entrada no – ou retorno ao – paraíso ainda em vida.

Esperar demais de uma emoção, sentimento ou circunstância é sempre um problema grave, uma vez que desembocará forçosamente em decepção. Se as pessoas imaginam que o encontro amoroso de qualidade deve ser o tempo todo encantador e deslumbrante, decepcionar-se-ão com o fato de que o amor de qualidade é paz, é harmonia, é sentir-se aconchegado graças à presença do amado. É "só" isso! O amor não salva, não resolve todos os problemas, não é a solução

Para ser feliz no amor
Flávio Gikovate

para todos os desconfortos e dores da vida. O amor é um remédio de efeito restrito às suas funções.

As pessoas sentimentalmente felizes continuam querendo ter um trabalho estimulante, permanecem tendo curiosidade intelectual, ainda sofrem com as dificuldades dos entes queridos... Se não tiverem interesses individuais nos momentos em que estão sozinhos e interesses em comum quando estão juntos, os casais felizes podem se sentir entediados. Ficar abraçados fazendo elogios ao amor não é suficiente nem mesmo nos primeiros tempos de namoro – muito menos em longo prazo. Além de paz e aconchego, as pessoas também apreciam as atividades e seus desafios, adoram fazer planos e imaginar coisas boas para o futuro.

Amar é algo que nos enche de alegria. Além disso, o amor atenua nossas carências e a sensação de desamparo – e nada mais. Está longe de ser pouca coisa, mas não é tudo que esperam. Não é verdade que, para os que amam, nada mais lhes faltará; que estarão sempre satisfeitos e entretidos apenas com a presença do amado, a troca de carícias e as juras de amor; que tudo mais perderá importância e o casal assim constituído se bastará o tempo todo. Se isso é verdade para as primeiras semanas de convívio, não é por se tratar de uma propriedade do amor, mas por ser um ingrediente inesperado, capaz de gerar um estado de espírito emocionante: o medo!

Para ser feliz no amor
Flávio Gikovate

Como se os obstáculos já mencionados não fossem suficientes para dificultar a concretização dos elos amorosos verdadeiros – aqueles em que se ama e é amado da mesma forma e com a mesma intensidade –, ainda deparamos com o maior deles: o fato de que o encontro amoroso provoca um medo de enorme proporção. Esse é o maior e o mais inesperado dos obstáculos. Lembro-me sempre do espanto que senti quando constatei sua existência e seu caráter universal, presente em todas as pessoas (ainda que em doses diferentes).

Logo que o casal se conhece, as primeiras emoções são de perplexidade: mistura de surpresa por encontrar alguém com quem se tem tanta afinidade e também por sermos correspondidos. Esse estado de perplexidade já embute certo medo – tanto assim que algumas funções fisiológicas se alteram: o apetite diminui, assim como o número de horas de sono, de modo que as pessoas dormem pouco e seu primeiro pensamento ao despertar diz respeito ao encontro que tiveram. Sentem-se inquietas e não sabem como explicar o que está acontecendo. É como se, efetivamente, tivessem sido "atingidas" por algo que lhes provocou forte impacto; daí talvez a ideia da flechada certeira do Cupido.

Um dos primeiros problemas surgidos nesses encontros de qualidade é a idealização da pessoa que provocou o encantamento. Ela passa a ser vista como impecável, perfeita, muito melhor do que nós. E aí começam as dúvidas: "Como vai reagir ao perceber meus defeitos?"; "Será que não é demais para mim?"; "Será

que não vai se decepcionar comigo?" A figura idealizada se transforma num problema, num mito, numa exigência de perfeição de si mesmo e no pavor de decepcioná-la.

Esse costuma ser apenas o primeiro dos inúmeros medos que aparecem, tornando as pessoas que estão iniciando o relacionamento inseguras. Elas se perguntam se são portadoras das virtudes e competências necessárias para que possam ter direito àquele parceiro perfeito. Trata-se de uma fase contábil, em que cada um, em seu canto, faz as contas para saber se tem condições e méritos para se relacionar com aquela criatura que, de repente, se transformou em depositária de todas as virtudes. Alguém que até poucos dias atrás era neutro torna-se especial e único.

Esse medo só se atenua quando aqueles que estão se conhecendo decidem começar a colocar seus defeitos sobre a mesa. É como se estivessem se entregando: "Veja, eu não sou tudo isso. Tenho tantas e tais limitações, não sirvo para isso e aquilo, fracassei nesse e naquele aspecto, sou limitado e cheio de medos..." O interlocutor tenderá a fazer o mesmo tipo de discurso, mostrando suas fraquezas – afinal, também estava com muito medo de decepcionar, de não estar à altura daquele personagem tão maravilhoso que surgiu em sua vida.

Superado o medo inicial de decepcionar o novo parceiro – sim, só o medo inicial, pois a preocupação em não decepcionar tenderá a ser duradoura –, os encontros vão se sucedendo, a intimidade se amplia e cresce rapidamente a intensidade do sentimento amoroso. A dependência recíproca aumenta e a necessidade de comunicação se torna uma constante. O verdadeiro conteúdo das conversas que acontecem com enorme frequência é o seguinte: "Será que o outro ainda está lá? Será que ainda ama? Será que não se arrependeu?" A insegurança é tamanha e tão pouco fundada nos fatos que cabe avaliarmos de onde ela vem.

Minhas observações fazem-me concluir que o medo de que o parceiro desista é assim forte por estar presente também na mente daquele que faz as perguntas. Ou seja, temo que meu novo namorado desista e vá embora porque sinto em mim forte tendência a fazer o mesmo! Isso não faz nenhum sentido segundo o raciocínio lógico que nos foi ensinado; ou seja, deveríamos estar felicíssimos com o encontro de alguém que parece tão afinado conosco e com quem podemos antever um convívio rico e emocionante.

O mais triste dessa história é que um enorme número de pessoas, talvez mais homens que mulheres, se deixa vencer pelo medo e decide abrir mão do relacionamento nesse ponto da história. Dizem mais ou menos o seguinte: "Você é uma criatura incrível, só tem qualidades. É pessoa para se pensar em casamento, e não me vejo pronto para isso". E somem. Desaparecem e nunca mais dão sinal de vida – e, em geral, nem mesmo respondem a mensagens eletrônicas. Aquele que ouve algo desse tipo raramente acredita que seja verdade e atribui a desistência a algum defeito seu. Nossos sentimentos de inferioridade, universais, sempre dão preferência a esse tipo de explicação simplista e em concordância com a lógica do pensamento oficial – este último desconsidera a existência do medo relacionado ao encantamento amoroso.

O medo do envolvimento sentimental intenso – e só há medo de proporção respeitável quando é esse o potencial do relacionamento – tem explicação e até mesmo alguma lógica. A primeira e mais evidente é a de ser abandonado depois de mais seriamente encantado. Assim, interromper o processo logo no início seria uma forma de não correr esse risco. Os que temem a dor de ruptura têm suas razões, pois, de fato, é uma das maiores que se pode vivenciar. Por medo da dor que sentiriam caso a relação viesse a terminar, optam por nem entrar nela. Não é raro que se trate de pessoas que já tiveram experiências dolorosas desse tipo anteriormente, inclusive uma infância com vínculos primários de qualidade duvidosa. Alguns profissionais de psicologia atribuem importância enorme aos primeiros elos das crianças justamente porque eles podem interferir na forma como lidarão com as relações íntimas no futuro.

De todo modo, isso é teoria. Na prática, quando alguém está se envolvendo com um novo personagem, convém avaliar se terá forças para enfrentar o medo ou se será mais um a fugir diante da percepção de que pode se tratar de um relacionamento intenso.

Para ser feliz no amor
Flávio Gikovate

É preciso respeitar o fato de que certos indivíduos não estão mesmo dispostos a envolvimentos sentimentais intensos em determinados momentos da vida porque isso destoaria de seus planos pessoais. Por exemplo, alguém que está se preparando para estudar em outro país e encontra uma parceria muito interessante pode evitar a continuidade do relacionamento em nome de seus propósitos profissionais e de seus sonhos individuais. Nesse caso, não se trata nem de fuga nem de reação derivada do medo, mas de uma decisão racional firme e fundada em dar prioridade à realização de projetos pessoais. Cabe àquele que estava se envolvendo respeitar a decisão. Nem sempre, nem para todos, o amor está acima de tudo.

Muitos encantamentos sentimentais se iniciam em sites de relacionamento da internet. Nesse caso, a intimidade se constrói de dentro para fora, ou seja, primeiro as pessoas trocam mensagens de texto, depois falam por telefone, depois se veem pelas câmeras para depois acontecer um eventual encontro físico. Ao contrário do que se verifica nos encontros reais, o elemento erótico é menos relevante, sendo a intimidade intelectual a primeira a surgir. Ela costuma ser fator relevante, que tende a acelerar o encantamento porque as afinidades se mostram de forma muito clara.

É óbvio que sempre podem existir mentiras para impressionar o outro que, no encontro real, provoquem decepções – sobretudo as relacionadas com a aparência física ou com algum ingrediente fundamental para o bom andamento do aspecto erótico, condição importante para a boa evolução de um relacionamento amoroso de qualidade. Ainda que a intimidade intelectual tenha evoluído bem, talvez a decepção ligada ao aspecto físico seja real impedimento à continuidade de um relacionamento que se anunciava promissor. Aqui também estamos diante de um bloqueio real, não relacionado forçosamente com o medo. O "aval" do corpo também é relevante.

Por vezes, a situação não é bem essa e, como o ambiente virtual permite que o encantamento flua com mais facilidade, o medo pode tardar a aparecer, manifestando-se talvez apenas diante da possibilidade de um encontro real. Aí ele surge com toda força, não raro escondido por outros temores que, em certos casos, podem, como registrei, corresponder a fatos reais: medo de decepcionar fisicamente, medo de que a intimidade erótica não seja agradável, medo de que o parceiro tenha mentido e, na prática, não seja nada daquilo... De todo modo, o medo do encantamento amoroso, tardando a aparecer, faz que o sentimento evolua e as pessoas se apaixonem por alguém com quem jamais estiveram ao vivo.

A partir do momento em que a intimidade concreta se efetiva, os relacionamentos iniciados pela via virtual seguem o curso similar ao dos que começam com encontros "ao vivo": evoluem no sentido de superar o medo da dor que sentiriam em caso de ruptura e se estabelecem; ou terminam de modo abrupto por força da decisão de um dos dois, decisão essa fundada tanto em aspectos relacionados com o medo como em eventuais dificuldades de ordem prática (morar em outra cidade, por exemplo).

Outro momento interessante no que diz respeito ao encantamento amoroso entre pessoas portadoras de grandes afinidades consiste nos encontros que se dão em contextos incomuns, fora da vida cotidiana de ambos. É o caso dos encontros em viagens de férias ou a trabalho, em congressos etc. As pessoas sabem que aquele relacionamento não tem grande chance de continuidade, que a dor de ruptura, inevitável por força das circunstâncias, não tem nenhuma relação com aspectos ligados à vaidade – separação sem a sensação de rejeição.

O medo mais relevante na segunda fase do encontro amoroso de qualidade, superado o da dor da ruptura, é o da perda da individualidade tão arduamente conquistada; é como se o outro nos abraçasse e nos fundíssemos com ele, tornando-nos uma só carne! O amor transmite essa sensação inicial de que um e outro viram uma só unidade, na qual a identidade de cada um desaparece. É claro que a sensação é subjetiva e os temores derivam de aspectos simbólicos. É como se fôssemos retornar ao útero, fundindo-nos de novo com nossa mãe. É como se fosse uma regressão enorme, um "desnascer".

O medo de perder a individualidade é outro forte motivo para as pessoas temerem o encontro amoroso intenso. É curioso, pois ele surge justamente diante de pessoas muito parecidas conosco, de modo que nos perdermos em outro similar a nós não deveria parecer tão ameaçador. Na prática, não o é, mas na nossa mente, carregada de símbolos do passado... Além disso, a "diluição" no outro é recíproca, de modo que, em termos práticos, fica tudo muito parecido com a situação antes de o amor surgir. A única grande diferença seria o forte anseio de agradar ao amado, por vezes abrindo mão das próprias vontades; mas isso também não deveria ser tratado como tão ameaçador, pois tende igualmente a ser recíproco.

Difícil mesmo é a pessoa ter coragem de aceitar esse mergulho sem garantias de retorno, ou seja, uma sensação de perda definitiva da individualidade. É claro que isso não acontece, mas o medo é suficiente para que as pessoas evitem a intimidade para valer e não se disponham a correr os riscos de fusão. A continuidade de um relacionamento de qualidade vai fazendo que esse medo se esvaia porque o espaço para a identidade de cada um fica perfeitamente preservado. Como cuidar do bem--estar do parceiro é preocupação permanente de ambos, o problema se esvazia por si só.

Então chegamos ao terceiro e mais inesperado de todos os temores: o medo da felicidade sentimental! Já escrevi sobre esse assunto inúmeras vezes, descrevendo-o como um caso particular do medo da felicidade em geral, base do pensamento supersticioso, das promessas de todo tipo (trocas que se fazem com os deuses, abrindo mão de algo relevante em favor de algo ainda mais importante), do medo da inveja das pessoas etc. É como se os indivíduos felizes estivessem sob a mira da espada mortal dos deuses e da ira dos outros humanos. É como se os riscos de tragédia aumentassem sobremaneira quando se está feliz. Não é verdade, mas é como nos sentimos e, em função disso, como agimos: renunciando à felicidade como um todo ou a uma parte dela no intuito de preservar a outra, percebida como principal.

Penso no medo da felicidade como um tipo especial, grave e universal de fobia, ou seja, uma situação que não deveria provocar medo se associa a essa emoção de forma radical e difícil de ser desfeita. Acredito que tenha relação com o trauma do nascimento, quando estávamos bem no útero e de lá fomos expulsos; o condicionamento nos faz temer que coisa parecida – agora a morte – venha nos encontrar sempre que estamos muito bem. Fugimos da felicidade, o que parece um absurdo lógico, mas não um absurdo psicológico. Fugimos do amor de ótima qualidade devido, sobretudo, a esse medo.

Como não é comum que as pessoas saibam de sua existência, atribuem a ruptura amorosa a inúmeras supostas causas objetivas, todas elas de certo peso, mas não suficientes para determinar a separação dos que se amam. Obstáculos externos – dificuldades familiares

(Romeu e Julieta), diferenças raciais, compromissos anteriores que necessitam ser rompidos (pessoas casadas que se apaixonam por alguém) – são relevantes, mas superáveis não fosse esse enorme medo que inibe, afasta os que se amam e os torna tristes, deprimidos e infelizes por longos meses.

Não posso deixar de registrar um "truque" nada raro ligado ao medo da felicidade sentimental. Trata-se de apressar demais o andar do relacionamento, propondo uma intimidade enorme depois de um tempo curto de convívio, aumentando ainda mais o medo do parceiro. A pessoa parece destemida, aquela do tipo que "ama demais" e vai com muita sede ao pote. Porém, seu intuito principal não é o de fazer que as coisas andem bem, mas o de assustar o outro a ponto de ele tomar a iniciativa de se afastar. Em vez de se conscientizar do próprio medo e senti-lo com clareza, a pessoa acaba estimulando o pânico no outro, transformando-se em falsa vítima da ruptura – determinada essencialmente pelo próprio medo.

É preciso aprender a lidar melhor com o medo, conscientizando-se de que ele também está presente no companheiro de aventura sentimental. Entender que, diante de um obstáculo dessa monta, que tem impedido a boa vida amorosa da maioria das pessoas, é essencial andar devagar, conversar bastante sobre os próprios temores e unir forças para enfrentar mais esse obstáculo. É esse o caminho, e não o de se precipitar, rompendo relacionamentos promissores por falta de serenidade e habilidade de lidar com o inesperado.

Para ser feliz no amor
Flávio Gikovate

É uma pena que tantas pessoas não tenham coragem de enfrentar o medo que a felicidade provoca para saberem, por experiência, se ela é mesmo tão perigosa e nociva. Afinal, medos irracionais foram feitos para ser enfrentados e superados por meio da coragem, essa força da razão que nos leva a tolerar o sofrimento que advém do confronto com o que tanto tememos. Ao enfrentarmos o medo, veremos que a felicidade não é tão perigosa assim. Insisto em dizer que medos irracionais foram feitos para ser enfrentados. Afinal, se a felicidade for mesmo mortal, é melhor morrer de uma vez. A vida como condenação à eterna infelicidade não faz o menor sentido.

4 quatro
O QUE FUNCIONA E O QUE NÃO FUNCIONA NOS NAMOROS

Os assuntos a ser abordados num capítulo como este são quase inesgotáveis. Pensei em separá-los entre o que funciona e o que não funciona. Refletindo melhor, achei que, em geral, o que não funciona é o oposto do que funciona, de modo que era melhor tentar fazer o contraponto entre um e outro. O mais triste é constatar que a grande maioria dos casais age e se comporta segundo tudo que não funciona. Assim, é incrível como duram os namoros e até mesmo os casamentos de qualidade duvidosa, nos quais as pessoas reclamam umas das outras o tempo todo. Eu diria que um ingrediente essencial para o bom funcionamento de qualquer relacionamento é o respeito. É terrível ter de constatar que essa regra elementar do bom convívio entre as pessoas é objeto de contínua transgressão entre os que supostamente se amam. Aliás, a maioria aprendeu a agir de forma rude e deselegante em casa, onde a prática corriqueira é a de que, com os parentes, se pode agir com total liberdade, naturalidade – e, por que não, grosseria.

A maioria das relações amorosas se dá entre pessoas muito diferentes, mas, como já apontei, mesmo entre os que são parecidos e cujas afinidades predominam sempre existem diferenças. Um dos principais problemas a ser enfrentado pelos que decidem conviver com mais intimidade é exatamente este: que fazer com as diferenças de todo tipo, sobretudo quando elas dizem respeito a atividades concretas que, em princípio, deveriam ser feitas em conjunto? Que fazer quando um quer passar o fim de semana na praia e o outro prefere não viajar? Que grau de concessões cabe fazer por amor?

O mais comum é que um dos membros do casal, o mais generoso, tenda a fazer quase todas as concessões e se disponha a realizar o que não tinha muita vontade. Talvez isso seja razoável como exceção, jamais como regra. Como decidir numa situação dessas? Não é fácil opinar, mas o mais adequado talvez fosse cada um agir de acordo com sua real vontade. Em vez de concessões, poderíamos pensar em respeito pelas diferenças, pela individualidade, de modo que cada um faria o programa que desejasse. Essa é uma boa solução, mas também não pode ser a regra, pois senão o casal se encontrará muito pouco. Não tem jeito: hoje precisamos buscar o convívio com parceiros cuja afinidade de gostos seja bem marcante, sobretudo nos assuntos relacionados com o lazer.

Os namoros têm por objetivo o convívio prazeroso, a alegria da companhia – especialmente nos momentos lúdicos, pois as questões práticas ligadas à sobrevivência são de responsabilidade de cada um. Cada um cuida dos seus estudos ou atividades profissionais, de suas finanças, de suas relações familiares, de seus dilemas íntimos e conflitos. É claro que namorados conversam sobre isso também. Porém, a principal razão do convívio é curtir os dias de folga, as horas de prazer erótico e os momentos de ternura.

Por mais amoroso e dedicado que seja, aquele que vive fazendo concessões um dia se cansa e a ruptura fica quase inevitável. Assim, as afinidades são mesmo essenciais num mundo de inúmeras possibilidades lúdicas. Afinidades, respeito pelas diferenças e também capacidade de conceder em assuntos de menor importância são fundamentais. Pessoas mais maduras, que lidam melhor com frustrações, se aborrecem pouco ao fazer programas que não são exatamente do seu gosto. No intuito de preservar o convívio e agradar ao parceiro, não é tão custoso conceder naquilo que não é essencial. Isso, é claro, desde que seja um padrão de comportamento bilateral. Nada do que for unilateral funcionará em médio prazo.

Quando as divergências de opinião dizem respeito a temas mais relevantes para um dos parceiros, como é o caso de decisões profissionais, problemas no relacionamento com familiares, gastos num programa de férias etc., as conversas e negociações tendem a ser mais difíceis e complexas porque, mesmo quando relativas a um deles, afetam o outro e influem sobre as decisões a ser tomadas pelo par. As conversas devem ser longas, visando analisar todos os ângulos da questão, e extremamente cautelosas, pois há assuntos espinhosos em que a pessoa se sente facilmente ofendida – como é o caso, por exemplo, dos dilemas em torno do relacionamento do casal de namorados com a família de um deles. Cada um pode falar mal de seus parentes; mas, se o parceiro também o fizer, poderá aborrecer muito.

Ao caminhar em terreno minado, todo cuidado é pouco. Conversar sobre temas que podem ofender ou magoar o amado exige sabedoria, serenidade e enorme empatia – capacidade de nos colocarmos no lugar do outro, com a sua forma de pensar. Não se trata de transportar nossa mente para o corpo da pessoa, mas de tentar entender como ela pensa, o que ela está sentindo, como está se vendo diante de dada situação. Além disso, é preciso conversar com calma, ponderando as palavras, sem pressa de contra-argumentar, sem desconsiderar nem subestimar o sofrimento do parceiro apenas porque saberíamos lidar melhor com a situação.

A verdade é que a grande maioria das conversas é pouco construtiva e tende a terminar em brigas. Isso porque as pessoas lidam muito mal com diferenças de opinião e acham que quem não pensa como elas está profundamente enganado. Ainda mais nos relacionamentos afetivos, em que parece que a divergência de ponto de vista é sentida como ofensa pessoal. Esses problemas são bem maiores entre os casais em que um é mais estourado e intolerante a contrariedades. Pessoas com esse tipo de imaturidade tendem a ser autoritárias e a resolver as divergências de forma categórica, "mandando" no parceiro e o obrigando a agir da maneira como desejam ou acham melhor.

Para ser feliz no amor
Flávio Gikovate

De fato, divergências de opinião, projetos de lazer, postura diante de parentes e amigos e outros dilemas cotidianos daqueles que convivem intimamente constituem uma grande fonte de desavenças e conflitos. **Como a maioria das pessoas não sabe conversar de modo construtivo, tende a criticar os pontos de vista do parceiro, quase sempre dando a impressão de que eles são pouco inteligentes ou pouco sensíveis. Agem de forma agressiva, já começam o diálogo com grosserias e não percebem que isso "tampa os ouvidos" do interlocutor, que, ofendido, passa a usar sua inteligência para derrubar os argumentos que está ouvindo. O resultado é catastrófico, pois as brigas, quando sistemáticas, minam os sentimentos dos que se amam e tornam a separação uma questão de tempo.**

As relações crescem e se tornam ricas quando as pessoas sabem dialogar. Ou seja, sabem falar na primeira pessoa do singular, colocando suas insatisfações de forma delicada: "Eu tenho me sentido triste com esse ou aquele fato"; "Não me agradam tantas e tais atitudes"; "Não gostaria de fazer isso ou aquilo"... Então o parceiro, respondendo também na primeira pessoa e depois de ouvir e ponderar com atenção as palavras do amado, coloca seus pontos de vista. Esses são objeto de atenção e cuidadosa avaliação por parte do primeiro, que vai contra-argumentar até que se evolua e chegue a algum ponto de convergência.

Para ser feliz no amor
Flávio Gikovate

Se os acertos não acontecerem e o assunto em questão não for urgente, volta-se a ele dentro de alguns dias, depois de ele ser objeto de reflexão mais acurada por parte de ambos. Nesse ínterim, o casal deve continuar a se tratar do modo como sempre fez, evitando manifestações de descaso ou falta de carinho apenas porque não chegaram a um acordo sobre determinado assunto. As diferenças de pontos de vista são sempre incômodas, sendo maravilhoso quando elas não estão presentes. Porém, quando surgem, têm de ser tratadas de forma adulta, civilizada e construtiva.

Preservar a intimidade e a sinceridade na comunicação do casal é essencial para quem quer conviver por longo tempo de forma rica e evolutiva para ambos. Aliás, uma das principais funções dos relacionamentos amorosos adultos é exatamente esta: ajudar os parceiros a evoluir, a se tornar cada vez mais razoáveis, ponderados e tolerantes. Para manter a intimidade do casal, é imprescindível que os namorados evitem ser críticos, apontando o dedo rigoroso para o outro a cada desavença ou conduta que lhe pareça equivocada. Quem é criticado com frequência se ressente, se fecha e evita relatar acontecimentos que ele, por experiência, já sabe que serão objeto de novas críticas. Quem padece é a intimidade, de modo que a relação vai-se tornando superficial e insincera.

Não deixa de ser curioso registrar que muitas pessoas se encantam sentimentalmente por criaturas simpáticas e extrovertidas, mas, depois de certo tempo de convívio, passam a achar que a excessiva disponibilidade do amado para outras pessoas é incômoda e tentam modificá-lo, buscando fazer que se torne mais reservado. Querem que ele renuncie àquelas propriedades que eram tão valorizadas. É claro que não terão sucesso, por dois motivos: ninguém abandonaria uma conduta que foi fator de encantamento do parceiro e, mais importante ainda, ninguém se modifica em função de pedidos ou ordens de terceiros.

Querer mudar o parceiro sentimental é algo um tanto tolo e pretensioso. Quem tentar fazê-lo não terá sucesso e ainda provocará irritação e revolta por parte daquele que só vai modificar seus comportamentos se assim lhe parecer necessário, útil e possível. Se um namorado conseguisse mudar efetivamente a pessoa amada, talvez viesse a perder o interesse por ela – entre outras razões porque teria se mostrado frágil, dependente e vulnerável a pressões. Além disso, o objetivo de quem pressiona na direção da mudança não é o bem-estar do namorado, mas o próprio conforto, o desejo de que sua vontade prevaleça sempre. Nada mais ingênuo e voltado para o egoísmo: resolver as dualidades e divergências "matando" os direitos do parceiro.

Pessoas razoáveis, que sentem alguma insatisfação com o modo de ser do parceiro amoroso podem alertá-lo, registrando seu desconforto. Insisto mais uma vez que o melhor é fazer uso da primeira pessoa do singular:

"Esse tipo de comportamento me entristece e me decepciona". **As palavras são muito mais importantes do que se pensa. "Me irrita" provoca um impacto completamente diferente de "me decepciona". Esta última expressão, mesmo sendo mais delicada, é muito mais ameaçadora. Afinal, "decepcionar" significa colocar em jogo o próprio sentimento amoroso, uma vez que ele deriva da admiração; implica o risco de que a perda da admiração determine o fim do encantamento.**

Além das manifestações de insatisfação delicadas, cuidadosas e sutis, cabem outros recursos para que o outro, percebendo com clareza que alguns dos seus comportamentos são inadequados, se modifique. O mais relevante deles consiste em mudanças que aquele que está insatisfeito com o jeito de ser do parceiro faça em si mesmo. Em geral, as mudanças em um dos membros do par acabam produzindo reações positivas no outro. Um exemplo claro está relacionado com a dualidade egoísmo *versus* generosidade. Se o mais generoso ficar exigindo mudanças no comportamento do mais egoísta, provavelmente não obterá nenhum resultado. Se ele for capaz de parar de facilitar a vida do egoísta, se conseguir dizer "não" com mais determinação, isso provocará uma reação inicial negativa e hostil. Porém, se ele for capaz de tolerar bem a hostilidade sem mudar de atitude, o egoísta tenderá, aos poucos, a alterar seu comportamento na direção da justiça.

O generoso estará ajudando o egoísta a mudar naquilo que o incomoda. E mais: estará ajudando-o a evoluir, a se tornar mais independente, amadurecido e justo. Aliás, o generoso estará antes de tudo ajudando a si mesmo, abandonando comportamentos que só reforçam o pior nos outros. Portanto, isso é bom para ambos e aumenta muito as chances de longevidade do relacionamento. Sempre penso em namoros que possam durar por tempo indeterminado, desemboquem ou não em casamentos. O essencial é que sejam gratificantes e evolutivos para ambos. Aliás, a dúvida entre casar ou não só existirá se a relação tiver qualidade, posto que sem isso todo casamento terminará em divórcio, o que não é bom para ninguém.

A melhor fórmula para tentar mudar o outro é, pois, a de mudarmos a nós mesmos. As relações íntimas dependem de certo tipo de encaixe que se desfaz quando alguém altera seu comportamento. Surge o empenho para configurar um novo encaixe e espera-se que ele seja melhor para ambos. Se não se conseguir elaborar uma nova configuração, a relação vai se romper. De todo modo, qualquer tentativa de mudança implica o risco de ruptura, de quebra do elo previamente constituído. O caminho que conduz à mudança e a um melhor arranjo amoroso sempre envolve o risco de desembocar num beco sem saída e, em consequência, na separação. Essa é uma das razões para que tudo seja sempre feito com calma, delicadeza, cuidado e respeito pelo modo de ser do parceiro.

Para ser feliz no amor
Flávio Gikovate

Quando o mais egoísta ficar insatisfeito com seu modo de ser e reconhecer a necessidade de mudança para o bem de sua evolução emocional, precisará ser cauteloso caso esteja ligado a um parceiro mais generoso. Sim, porque a regra é que este último goste de ser o "bonzinho", o que dá tudo, pois isso lhe provoca uma sensação de poder e superioridade. Sua vaidade se alimenta desse papel. Por mais paradoxal que pareça, qualquer mudança do egoísta pode ser incômoda e até mesmo constrangedora – o generoso só sabe dar e perde o chão quando recebe presentes ou é muito paparicado.

O egoísta, querendo se modificar para, no futuro, ser melhor parceiro para o generoso, deve agir com cautela para não "espantar" o ser amado, uma vez que ele se encantou com quem recebe com facilidade justamente para exercer com tranquilidade seu papel de grande doador. A mudança de comportamento de um sempre implica problema para o outro. Assim, o desejo de mudar para se aprimorar precisa se transformar em um processo de execução delicado, lento e progressivo. Isso mesmo no caso de a pessoa mudar para o próprio bem, pois influenciará o outro e induzirá mudanças nele.

É sempre bom lembrar que o encantamento amoroso surgiu em razão de cada um ser do jeito que é, tendendo o desejo ou os pedidos de mudança a surgir depois, em virtude de insatisfações ao longo do convívio. As pessoas se encantam com aquelas com as quais têm grandes diferenças e depois percebem que estas provocam irritação e insatisfação. Se não houver uma adaptação baseada no esforço recíproco e cauteloso de mudanças, os mesmos ingredientes geradores do amor se transformarão nos responsáveis pela separação.

Infelizmente, porém, a postura cuidadosa do casal ao lidar com diferenças de temperamento e pontos de vista, com os problemas gerados pela relação e com os dilemas da vida não é a mais comum. A regra é que tudo se transforme em conflito, em brigas e tentativas explícitas de controle e dominação. Pessoas imaturas parecem confundir o caráter simbólico da dependência amorosa com os aspectos práticos próprios da dependência na infância, na qual, como já registrei, a dependência emocional está aliada à prática. Os que não evoluíram veem o amor adulto como uma repetição do infantil.

Se a mãe "manda" o filho se comportar desse ou daquele jeito, "exige" respeito e outras coisas mais, "cobra" resultados nas atividades pelas quais a criança é responsável, alguns adultos parecem se valer dessas mesmas palavras para tratar suas questões sentimentais. Às vezes sem intenção de dominação, mas em outras com esse intuito claro, muitos se referem aos seus parceiros sentimentais com frases do tipo: "Vou mandá-lo vir aqui falar com você"; "Não admito que você faça isso"; "Eu cobrei dele uma atitude mais carinhosa"...

Fico desconcertado quando ouço essas frases. Essas palavras autoritárias provocam-me sensações desagradáveis, assim como o uso de expressões imperativas: "Faça isso"; "Não se esqueça daquilo"; "Eu já disse que isso tem de ser feito desta maneira"; "Não tolero mais esse seu jeito". Não sei como me comportar quando alguém diz que "não admite" determinado tratamento por parte do parceiro e continua junto dele. Quem, de fato, não admite já deveria ter ido embora. Confesso que também tenho dificuldade de entender como alguém tolera, às vezes por longo tempo, o convívio com mentes assim autoritárias, legítimas representantes de nossas mais austeras figuras infantis.

Outra característica dos casais que me surpreende é a tendência de alguns parceiros de se acharem no direito de dar "pito" no outro: esticar o dedo indicador e acusá-lo, exigir algo dele, criticá-lo de forma rigorosa e quase sempre destrutiva. É chocante o fato de adultos agirem assim, repetindo tão claramente modelos vividos na infância. É por essas e outras razões que me parece claro que o amor, em sua versão adulta, deve evoluir e se afastar ao máximo das vivências amorosas infantis. No caso das crianças, o amor é instrumento pedagógico; os pais fazem uso do medo que elas têm de perder seu afeto para educá-los. Não tem cabimento repetirmos isso nas relações adultas.

Quando um casal não consegue discutir suas divergências, briga: cada um tenta impor, pela força, seu ponto de vista. O tipo mais exigente e autoritário é o que se irrita com facilidade quando contrariado. As brigas começam por alguma divergência quase sempre banal, mas evoluem de forma peculiar, pois os irritadiços parecem ter uma memória enorme para tudo de ruim que já lhes fizeram e evocam essas vivências quando acham conveniente. De repente o casal está discutindo – um falando muito e o outro se defendendo – não mais sobre o tema inicial, mas sobre todos os transtornos que eventualmente viveram juntos.

As brigas são repetitivas, improdutivas e sempre indicam um desejo autoritário. Por vezes, o mais irritadiço fala em separação, e o faz apenas para ver se o parceiro topa ou não. Se ele não topar, quer dizer que o amor ainda prevalece. Não sei se essas brigas, tidas como "normais", visam demonstrar que ainda existem sentimentos capazes de tolerar esse nível de desconforto ou se há uma espécie de "fábrica de rancores" na mente dessas pessoas mais intolerantes que vez por outra, por motivos fúteis, têm de ser descarregados.

O que posso afirmar, ao menos para os tempos atuais, é que esse tipo de relacionamento tem prazo de validade e sua duração dependerá das características daquele que tolera tudo isso, não raro movido também pela ideia ingênua de que, com o tempo, o bom senso prevalecerá e essas crises desaparecerão. Porém, isso não costuma acontecer. Aqueles que reclamam e criticam continuarão a agir dessa forma, e todo o empenho do parceiro em ser mais dedicado apenas os tornará mais acomodados.

Para ser feliz no amor
Flávio Gikovate

Existe uma explicação mais sincera e sofisticada para esse processo de dedicação extremada a alguém que, com regularidade, desdenha e destrata. Não convém supor que uma criatura acredite, ao longo de meses ou anos, que uma conduta que vem trazendo resultados negativos um dia provocará uma mudança e finalmente os resultados serão maravilhosos. A persistência em um padrão de comportamento que produz sucessivos resultados negativos não pode ser atribuída apenas à obstinação e teimosia da pessoa – sobretudo se ela for portadora de boa índole e inteligência.

Por trás de comportamentos inadequados, repetitivos e descabidos sempre convém ir em busca de alguma explicação mais sólida e consistente. Por que um indivíduo dedicado e persistente gastaria tanta energia se aprimorando no intuito de finalmente ser reconhecido pelo ser amado? Por que agir assim quando é mais que evidente que o amado jamais fará o que ele deseja? Por que tanto empenho e dedicação a uma causa que, aos olhos dos outros, já está perdida?

A verdade por vezes está escondida até mesmo da própria pessoa, num nível maior de consciência, mais próximo daquilo que nos caracteriza e nem sempre gostamos de ver, remetendo-a para o inconsciente ao menos por certo tempo. Esse é o caso de muitos que se dedicam indevidamente a agradar mais e mais justamente aqueles que mais lhes criticam e sabotam. Na verdade, estão usando as críticas, as humilhações e os rebaixamentos em causa própria. Estão se valendo desse esforço do outro para rebaixá-los com o intuito de se tornarem mais fortes e poderosos!

Quando alguém nos rebaixa e critica de uma forma que nos parece injustificada, talvez, lá no fundo de nós mesmos, pensemos assim: "Vou mostrar a essa pessoa do que sou capaz". Ou seja, transforma-se aquele esforço de rebaixamento em energia extra a serviço da própria evolução. A trama é sutil, pois quando a pessoa achar que já evoluiu o bastante tratará de se livrar de quem tanto a humilhou. O mais intolerante e crítico não costuma esperar por essa reação e se surpreende; acabará percebendo que agiu de maneira pretensiosa, achando que manipularia o parceiro com eficiência e de forma definitiva, pensando que ele jamais lhe escaparia. Não convém jamais subestimar as pessoas.

Por falar em críticas repetitivas, façamos algumas considerações acerca do papel da inveja nas relações amorosas. O tema é complexo, pois a inveja, assim como o amor, deriva da admiração. Quando as afinidades predominam, a admiração está fundada na presença, na pessoa amada, de propriedades parecidas com as nossas, o que é sinal de boa autoestima – e não de "narcisismo", como pensava Freud. Quando a admiração contempla justamente aquelas propriedades que não possuímos, a inveja surge. Esse é mais um problema complicado relacionado com as alianças entre pessoas muito diferentes.

Para ser feliz no amor
Flávio Gikovate

A busca de parceiros diferentes tem relação com o fato de a pessoa não estar contente consigo mesma. Não adianta querer disfarçar esse aspecto do encantamento com discursos de qualquer espécie. Não há cabimento em se entusiasmar – se for fato que o amor, como dizia Platão, deriva da admiração – por alguém que a pessoa não valoriza. Essa autocrítica é essencial; creio que o amor, nesse sentido, ajuda-nos a conhecer melhor a nós mesmos. Quanto mais a pessoa está feliz com seu progresso, com o seu jeito de ser e de viver, maior será a tendência a procurar amigos, colaboradores e também parceiros sentimentais afins.

O invejoso não gosta de mostrar esse sentimento, pois ele denuncia as dúvidas acerca do próprio valor. É claro que a maioria dos indivíduos, sobretudo os que não estão bem consigo mesmos, não gosta de que "os outros" percebam suas limitações e fraquezas. A inveja tende a se manifestar sempre de forma sutil: pelo uso de ironias que podem ser entendidas como simples piadas ou gozações ingênuas ou por críticas sistemáticas, fundamentadas em fatos ou não. Apontar defeitos no parceiro é comum, especialmente depois de algum tempo de convívio. Penso sempre que a única coisa fácil que existe é criticar.

Conhecer os pontos fracos do companheiro é o caminho para dois comportamentos antagônicos: evitar lidar com esses assuntos no intuito de poupá-lo; ou utilizar esses dados para rebaixar e humilhar, tentando com isso enfraquecer quem é invejado. Rebaixar o parceiro pode estar a serviço de mais de uma causa: talvez expresse a hostilidade invejosa que pretende humilhar aquele que é percebido como superior com o intuito de melhorar a posição do invejoso; também pode enfraquecer o invejado, diminuindo as chances de que ele se sinta competente para buscar um relacionamento de melhor qualidade.

A inveja, emoção quase inevitável quando as pessoas fazem comparações e se sentem por baixo, prejudica drasticamente a qualidade das relações. Sem que se perceba, ela acaba fazendo-se acompanhar de um clima de competição, sobretudo nos dias que correm – em que, em geral, ambos têm atividades profissionais também de caráter competitivo. Permitir que essas disputas participem da vida íntima significa nunca ter paz nem sossego.

Do meu ponto de vista, que penso no amor como harmonia e aconchego, é essencial que cooperação seja a palavra de ordem na intimidade das pessoas. Lamento que ela nem sempre possa predominar também no plano das relações de trabalho, pois isso pode implicar certa perda de energia e vitalidade para a realidade do mundo em que vivemos. Porém, no plano das amizades sinceras, assim como nos relacionamentos amorosos de qualidade, a cooperação deve predominar sobre algum eventual momento competitivo. Para isso, é indispensável que a inveja esteja sob controle.

É interessante registrar também que a inveja, quando intensa, costuma ser bilateral: o mais quieto inveja

o extrovertido; este último inveja a dedicação e a tolerância do parceiro, que por sua vez inveja sua competência para cuidar dos próprios interesses e ser competente para dizer "não". O mais extrovertido inveja a generosidade e a habilidade de se entreter sozinho do mais introvertido, ao passo que este admira e inveja sua competência para ser sedutor e envolvente – e assim por diante. A inveja recíproca, que indiretamente indica admiração apesar das críticas, é um reforço para que cada pessoa continue a ser exatamente como sempre foi.

Penso sempre no amor como um sentimento que deveria ajudar as pessoas a progredir emocional, intelectual e socialmente. A prática, porém, nos ensina que essa possibilidade, realmente acessível aos que se amam, é muito rara. O que se vê, em geral, é que o tipo de relacionamento que acaba sendo construído visa mais que tudo reforçar aquilo que cada um não gosta em si mesmo. É uma pena que tenha sido assim até aqui. Tenho certeza de que algo muito relevante está em curso na questão sentimental; algo que determinará, de forma definitiva, o fim dessa maneira nociva e não evolutiva de os casais se relacionarem.

Assim, o crescimento emocional só é possível quando o clima é de cooperação e quando o casal entendeu quanto pode, em função do jeito de ser de cada um, atrapalhar a evolução do ser amado – e vice-versa. Nesses casos, surge, em cada um, um legítimo desejo de mudança. O anseio de crescimento emocional por parte de ambos cria um clima de otimismo e se transforma no projeto em comum mais importante; impossível pensar em algo mais relevante para quem pretende construir um relacionamento de longo prazo. Crescer intimamente, crescer junto com o parceiro amado, aprimorar a qualidade do convívio e a riqueza do relacionamento são planos exequíveis que podem se transformar em algo mais vital até que os avanços objetivos, ligados aos bons resultados no campo profissional e material.

Os casais que estão juntos sempre fazem planos de curto prazo, tais como os relacionados com passeios de fins de semana e de férias. Por um tempo, esses temas são suficientes para alimentar as conversas, além daqueles assuntos referentes a vivências, alegrias e dores que experimentaram antes de se conhecer. Depois de certo tempo de namoro, os projetos tendem a se tornar mais concretos e muitos pensam em casamento e filhos, ainda que colocados num futuro mais ou menos distante que pode ou não se materializar. Muitos pensam também em construir juntos certo patrimônio, sempre imaginando uma vida em comum.

Essas conversas são típicas dos jovens namorados. Hoje existem inúmeros casais que se constituem nas mais variadas idades, muitos dos quais formados por divorciados. Nesses casos, os projetos de futuro são bastante diferentes e os planos giram em torno do lazer. É claro que os projetos relativos a avanços e crescimento pessoal podem e devem continuar a existir em todas as idades. **É sempre bom repetir que o casal, uma vez constituído – e hoje em dia é irrelevante se se trata de namoro, coabitação ou casamento –, tem o "poder" de consolidar e reforçar comportamentos inadequados ou então de contribuir enormemente para o crescimento emocional e moral de cada um dos que se uniram.**

Algumas pessoas encaram os relacionamentos amorosos de boa qualidade, em que não existem brigas constantes nem clima de instabilidade, como algo monótono e um tanto tedioso. No cinema, por exemplo, as histórias de amor são emocionantes enquanto não se concretizam; amor feliz parece não ser capaz de produzir uma história intrigante, que dure mais do que dez minutos.

Porém o amor, como eu o vejo e tenho insistido em afirmar aqui, é o sentimento que se tem por alguém que nos traz serenidade e aconchego. É possível que isso decepcione àqueles que esperam do amor aventuras emocionantes. Como resolver o problema da falta de sobressaltos e surpresas no amor? Como o amor pode ser diferente do tédio?

Se pensarmos em uma criança de 1 ou 2 anos de idade, veremos que ela vivencia o amor quando está no colo da mãe e que a aventura acontece quando ela desce dali e se põe a especular e desvendar os "mistérios" do mundo que a cerca. A aventura está em decodificar os segredos dos objetos; já a paz está no colo da mãe, para onde ela corre sempre que sente insegurança ou algum desconforto físico. Nós, adultos, não precisamos copiar esse modelo no sentido literal, mas no simbólico. O elo amoroso é a paz, o colo materno, e com o mesmo parceiro que nos dá "colo" (e nós a ele) podemos nos estimular sexual e intelectualmente.

Em outras palavras, o mesmo companheiro que nos aconchega pode e deve ser companheiro de nossas aventuras. Pode ser nosso parceiro sexual e também na busca de conhecimento, no usufruto das delícias da música, dos filmes, livros, do aprendizado em geral. Aliás, o relacionamento se torna tedioso, monótono e repetitivo entre aqueles que não têm esse gosto pelo saber. O indivíduo que gosta de aprender está sempre se reciclando, renovando seu repertório de conversas; torna-se permanentemente interessante e o convívio com ele nunca deixa de ser intrigante.

É claro que os casais podem se aventurar em viagens por terras desconhecidas, praticar esportes radicais e estimulantes da adrenalina, buscar emoções em todas as áreas. No amor, porém, as únicas emoções a ser buscadas são as relacionadas com a ternura, o carinho e a alegria que derivam do aconchego. Achar que as brigas e discussões entre os que se amam são interessantes porque quebram o tédio e a monotonia do convívio é pensamento próprio daqueles que não cultivam interesses mais ricos e sofisticados.

A renovação do repertório, dos temas das conversas, é essencial para a evolução do relacionamento e para o crescimento intelectual de cada um e de ambos. É uma pena, mas muitos casais se desfazem justamente porque um deles é curioso e vive em busca de novos conhecimentos, enquanto o outro se acomoda e se estabiliza naquilo que já sabe. Com o passar do tempo, crescem as incompatibilidades e o gosto pelo convívio murcha, o fogo do encantamento se apaga. Não se deve subestimar esse aspecto, sobretudo quando se tem como parceiro alguém que dá todos os sinais de quanto gosta de avançar, de buscar o novo.

As boas relações amorosas, aquelas em que o clima é de cooperação e não de inveja e competição, não raro se acompanham de avanços na vida prática e material de cada um dos seus membros. Talvez o sucesso aconteça de modo mais consistente para um deles – isso não terá a menor importância, pois sempre será compartilhado. As dores são dos dois e as alegrias também! Sucessos e fracassos cabem a ambos, independentemente de quem esteja no cargo de piloto ou de copiloto. Essa é mais uma razão para que não aconteça a defasagem de crescimento emocional e intelectual, condição essencial para que o sucesso seja vivido como algo que contemplará a ambos.

Cérebros "porosos", os que pertencem àqueles que gostam de aprender e não só não se aborrecem por ter de mudar de ponto de vista como reconhecem nisso grande prazer, estão sempre em movimento. Se ambos os parceiros forem desse tipo, o mais provável é que evoluam juntos, que cada um puxe o outro nas áreas que domina melhor. Esse é mais um motivo de integração

e confirmação da riqueza de um elo que, assim constituído, pode ter vida longa.

O cuidado para que o crescimento emocional, intelectual e material seja sempre compartilhado faz que o casal se una cada vez mais. Outro fator de união é a permanente preocupação com o bem-estar do parceiro, o que significa mais que tudo jamais subestimar suas queixas e sinais de insatisfação. Repito: não cabe pensar que, "afinal de contas, isso que o incomoda não é tão grave" porque assim seria se fosse conosco. Prestar atenção no amado implica tentar entender como ele pensa, como a mente dele funciona; enfim, exercer a verdadeira empatia.

Uma avaliação cuidadosa de tudo que escrevi só pode me levar a uma conclusão: o amor é um sentimento bastante exigente! Não se trata, pois, de algo mágico, que purifica e simplifica tudo que nos cerca. Ao contrário, é uma fonte de prazer ou de sofrimento, que evoluirá numa ou noutra direção conforme o esforço e o empenho sincero de ambos para construir algo em comum. Ambos devem estar imbuídos da noção de que se trata de uma grande aventura na qual a primeira e principal missão é a de estimular o crescimento e a evolução emocional de cada um. E o mais importante: a evolução intelectual, moral e emocional dos que se amam aproxima-os ainda mais, tornando-os cada vez mais parecidos, afinados e aptos a viver um relacionamento rico por tempo indeterminado.

SEXO, CIÚME E LEALDADE

É curioso pensar nos temas relacionados com o sexo em tempos como o nosso. Em primeiro lugar, porque as pessoas parecem não ter mais dúvidas a ser esclarecidas a esse respeito. Nem mesmo a educação sexual nas escolas é levada tão a sério como antes, uma vez que até as crianças parecem já saber tudo sobre esse que é, a meu ver, um dos temas mais complexos e difíceis da psicologia humana. Além disso, é assunto recheado de pontos de vista diferentes, que por vezes são defendidos com um rigor e uma rigidez que beira o fanatismo.

Hoje não se pode ter pontos de vista diferentes dos considerados "politicamente corretos" a respeito da homossexualidade, do feminismo e do aborto, entre outros temas que ainda geram discussões radicais. Nada disso é construtivo e não é meu propósito participar desse tipo de duelo intelectual estéril. Sempre trabalhei como médico e me interesso, mais que tudo, pelos fatos. Vou tentar descrevê-los da melhor forma possível e formular pontos de vista derivados do cotidiano das pessoas que tenho atendido. Vou me ater ao que, de acordo com minhas observações, funciona bem, dá certo. Pensando de forma simplista, o certo é o que gera resultados positivos e faz as pessoas mais felizes!

Para ser feliz no amor
Flávio Gikovate

Um casal se conhece, se encontra algumas vezes para um lanche ou para ir ao cinema e começa, mais ou menos rapidamente, a "ficar"; ou seja, como os adolescentes, trocam beijos ardentes. Param por aí, quase sempre em função da vontade das moças de não avançarem tão depressa nessa área. Os encontros continuam, a intimidade cresce graças às conversas mais sinceras e a aproximação sexual se amplia. Em algum momento, acabam tendo a primeira relação sexual.

O primeiro encontro é sempre carregado de emoções. Em primeiro lugar, estão as inseguranças de ambos: serão competentes para agradar fisicamente a quem já lhes interessa também sentimentalmente? (Estou excluindo aqui as experiências chamadas de "sexo casual", encontros que, ao menos oficialmente, não pretendem ser mais do que sexuais. Não fazem parte do contexto deste trabalho, que trata de namoros, ou seja, de relacionamentos afetivos que, é claro, envolvem também intimidade erótica.)

As inseguranças iniciais são inúmeras. Muitos homens têm medo de fracassar sexualmente em função da ansiedade que sentem nos primeiros encontros. Temem decepcionar a parceira, o que seria dramático aos olhos ainda um tanto machistas da maioria deles; temem não ter ereção, ejacular rápido demais, não conseguir ejacular, desapontar a parceira em função das dimensões do seu pênis e assim por diante. As mulheres temem decepcionar fisicamente o namorado por força de alguma imperfeição de seu corpo, das características dos seus

seios, do cheiro de sua vagina etc. Por mais experientes que sejam os parceiros, as primeiras relações sexuais acontecem num clima tenso, como se ambos tivessem se tornado virgens de novo.

A preocupação de impressionar é bem frequente. Muitas mulheres tentam demonstrar exuberância, desinibição e experiência. Os homens são mais quantitativos e desejam mostrar sua virilidade por essa via. O desejo de agradar é intenso e pode até perturbar o bom andamento da intimidade, que só deveria merecer esse nome depois de alguns encontros. A preocupação em demonstrar o que se supõe que o outro está esperando, por vezes, atrapalha mais do que se pensa. Por exemplo, muitos rapazes ainda são um tanto conservadores e não se sentem confortáveis com mulheres desinibidas e exuberantes sexualmente – ao menos nos primeiros encontros, em que isso pode inibi-los, deixá-los inseguros e aumentar o risco de virem a fracassar por completo durante o ato.

A verdade é que a maioria dos homens é mais insegura sexualmente do que gosta de dizer. Os rapazes ficam mais confortáveis diante de moças que se mostrem mais recatadas e discretas. Não raro eu sugiro a elas que, ao menos no início das relações, deixem todas as iniciativas por conta deles. Em outras palavras, que o tipo de intimidade e o grau de liberdade partam dos homens. Reafirmo que não se trata de uma postura machista, mas do explícito reconhecimento da fraqueza dos homens nessa área. Há mais de 20 anos

escrevi um livro que se chamava *Homem: o sexo frágil?* Cometi o erro de acrescentar o ponto de interrogação ao título, pois na época já era mais que claro para mim que, do ponto de vista sexual, a mais forte é a mulher.

Inúmeras mulheres reconhecem a existência desses resíduos machistas nos homens, todos eles relacionados com inseguranças sexuais e certo medo da sexualidade feminina. Elas sabem, por exemplo, que se forem muito "oferecidas" e se dispuserem à intimidade sexual logo no primeiro encontro muitos tomarão isso como sinal de que elas não sabem se controlar diante das oportunidades eróticas, sendo por isso pouco confiáveis. A intimidade com uma mulher de sexualidade intensa apavora os homens, de modo que elas, sabiamente, se mostram discretas e mais recatadas do que são apenas no intuito de criar um contexto mais confortável para eles e também de não ser mal interpretadas.

A vida sexual dos namorados passa por fases. A primeira é a que descrevi antes, qual seja, a mistura de insegurança, medo de decepcionar o parceiro, medo de se mostrar mais do que acha que deveria, no caso das mulheres, e de se mostrar menos do que deveria, no caso dos homens. Algumas mulheres, hoje, são exuberantes e, com ou sem intenção, afugentam os homens mais sensíveis e delicados. Acabam se envolvendo com os mais conquistadores, os que chamamos de cafajestes, uma vez que eles não se assustam com nada – afinal, desqualificam todas as mulheres, não as valorizam, de modo que não se intimidam. São ótimos parceiros sexuais e quase nunca bons namorados.

Uma vez estabelecido o contexto do namoro e superada a fase inicial de insegurança e exibição de qualidades especiais, entramos na fase de consolidação das relações sexuais, na qual todos pretendem se mostrar competentes, mas dentro dos seus padrões mais sinceros, menos voltados apenas para impressionar os parceiros. Apesar de suas inseguranças quanto ao sexo, os homens, quando se sentem mais estáveis e confortáveis no relacionamento, passam a gostar de ser procurados pela parceira. A única situação em que os homens tratam de fingir um prazer inexistente é quando conseguem manter a relação, mas sem ejacular. Por vezes conseguem – ou pensam que conseguem – convencer suas parceiras de que chegaram lá.

Já as mulheres são, nesse aspecto, bem mais sofisticadas. Muitas alcançam mesmo o orgasmo, na maioria das vezes pela estimulação do clitóris – isso quando seus parceiros se ocupam de agradar-lhes da forma como gostam. **Aliás, vale dizer que os casais de namorados, durante o processo de ampliação da intimidade sexual, deveriam conversar mais livremente sobre esse tema, sendo surpreendente que isso seja tão incomum. Hoje as pessoas se mostram e se comportam como competentes nessa área e não o são; acham desnecessário conversar mais detalhadamente sobre os gostos e peculiaridades de cada um e assumem** que tudo acontecerá de forma natural e agradável para ambos. Não é verdade.

Algumas moças, sobretudo quando os casais não conversam com liberdade sobre sexo, não pedem para que a estimulação do clitóris seja prolongada o bastante para que alcancem o orgasmo e aceitam partir mais ou menos rapidamente para o coito vaginal. É fato que boa parte delas não chega ao orgasmo por essa via e, não querendo se mostrar incompetentes ou temendo desapontar o parceiro, fingem que atingiram o clímax. Isso é péssimo, pois confirma uma ideia equivocada, presente na mente de muitos homens até hoje, de que o orgasmo vaginal – e simultâneo à ejaculação masculina – é algo natural, fácil e automático. Isso é mito.

Sentindo-se mais seguras no papel de parceira estável, algumas moças tendem a resistir às intimidades eróticas na frequência proposta por seus namorados. Passam a dizer que não sentem tanto desejo quanto eles, que eles só pensam nisso, que as mulheres são mais românticas do que voltadas para o erotismo – entre outras inverdades. A experiência ensina que as mulheres que se recusam sistematicamente à intimidade sexual sabem muito bem que estão humilhando e ofendendo seus parceiros. Como sempre, todo comportamento repetitivo que provoca determinado efeito sentido como nocivo ou doloroso tem exatamente este objetivo; ou seja, a mulher que

Para ser feliz no amor
Flávio Gikovate

humilha seu parceiro evitando a intimidade erótica quer mesmo que ele se sinta por baixo, fraco e inseguro nessa área.

Os homens costumavam entender as dificuldades sexuais das parceiras – tanto a dificuldade de atingir o orgasmo quanto o evitar sistemático das relações – como problemas psicológicos, traumas antigos relacionados com uma educação repressiva. Assim foram difundidas algumas das hipóteses psicanalíticas, mal entendidas pelas pessoas em geral – e também por alguns profissionais da área. Em função dessas hipóteses, os homens desenvolviam enorme tolerância às repetidas humilhações, sempre imaginando que se fossem mais dedicados conseguiriam reverter o problema. Trataram a questão como um desafio, como uma conquista a ser obtida com paciência, persistência, carinho e determinação.

Isso explica por que muitas das mulheres que "regulam" a intimidade sexual têm parceiros ótimos. Como já escrevi antes, é claro que esse comportamento tem prazo de validade; um dia, o mais dedicado consegue melhorar sua autoestima e finalmente se dá conta de que não está sendo de fato reconhecido. Já evoluiu o bastante para não mais aceitar esse tipo de desafio que o ajudou a crescer, se afasta de quem o rejeitou e sai em busca de um relacionamento que pareça digno de seus predicados. Já as mulheres que, de certa forma, manipulam seu poder sensual para dominar os parceiros não evoluem, não saem do lugar e, em geral, acabam sendo abandonadas. Nada muito inteligente.

Para ser feliz no amor
Flávio Gikovate

Não raro o inverso acontece: as mulheres se mostram exuberantes e tomam a iniciativa erótica com frequência e insistência com o intuito de criar certo constrangimento para seus parceiros. Agora, são eles que passam a regular a frequência da intimidade, não sei se no intuito de provocar insegurança em suas parceiras ou se em virtude do medo de fracassar e se mostrar fracos – ou ambos. Penso que tanto a recusa dos homens como a insistência das mulheres em assédios malsucedidos denunciam uma segunda intenção: enfraquecer seus parceiros ao menos nessa área.

O sexo é um aspecto da intimidade que pode denunciar muita coisa. Como eu disse, não tem a importância que se costuma atribuir a ele, desde que vá bem! Ou seja, as dificuldades e os problemas nessa área não podem ser subestimados nem minimizados. As dificuldades devem ser sempre tema de conversas abertas e sinceras com o objetivo de aprimorar o conhecimento que um deveria querer ter do outro – e também de si – nesse aspecto sutil da nossa psicologia.

Cabe registrar aqui algumas considerações úteis, ainda que de caráter teórico, para pensar melhor sobre o assunto. É essencial distinguir desejo de excitação. O desejo descreve uma vontade de agir, de atacar e alcançar um objeto que está fora da pessoa. A excitação, por outro lado, remete-nos para dentro de nós; é um estado íntimo de inquietação agradável, capaz mesmo

Para ser feliz no amor
Flávio Gikovate

de nos fazer esquecer quase tudo que está fora de nós. É no pico da excitação que as pessoas vivenciam o clímax erótico, condição em que homens e mulheres fecham os olhos, estão consigo mesmas e se esquecem de tudo e de todos. O desejo faz a pessoa ir atrás do que pretende alcançar. A excitação é um estado de alma, um estado interior.

Nossa sociedade fala muito em desejo, mas os estudiosos da sexualidade desconsideram a diferença entre este e a excitação. Eu, no entanto, penso tratar-se de uma distinção essencial. Do ponto de vista sexual, o desejo é visual e essencialmente masculino. A excitação pertence a ambos, sendo mais que tudo táctil. É pelo toque que o sexo pode ser gratificante para o casal por tempo indeterminado. O desejo visual não é tão durável, pois as imagens se tornam corriqueiras e menos atraentes. A prioridade dos pares deveria ser a excitação e não o desejo! Um casal começa a se tocar e a excitação vai crescendo. Não raro, os primeiros toques estão relacionados com a ternura – fenômeno amoroso – e, aos poucos, vão se tornando mais eróticos. Um bom exemplo disso é o beijo, que pode ir desde o "selinho" carinhoso até uma intimidade erótica bem "carnal".

A sexualidade deve ser sempre entendida como voltada para os assuntos do corpo, enquanto o amor é mental, simbólico e cheio de sutilezas próprias da alma humana. O amor é um sentimento elevado; já o sexo é, de certa forma, "baixaria", como canta Rita Lee. Na hora do sexo, a maioria dos casais apaixonados prefere abandonar por alguns minutos o clima romântico e se voltar mais para a carne, até mesmo para certa vulgaridade.

É sempre importante distinguir ternura de tesão. Às vezes, os parceiros não estão num clima erótico, mas gostam de se tocar, de manter uma intimidade física ligada à ternura, qual seja, algo mais que tudo amoroso. Inúmeros são os que confundem ambas as sensações e, sempre que são tratados com ternura, imaginam-se assediados sexualmente. Aqueles que não se sentem confortáveis com esse tipo de abordagem acabam por se tornar refratários também às expressões de ternura – o que é uma pena, pois essa é uma das mais fortes e persistentes manifestações corpóreas relacionadas com o amor. O amor é um sentimento que não dá descanso às pessoas, de modo que pede "provas" de ainda estar presente o tempo todo, seja pela repetição de frases do tipo "eu te amo", seja por manifestações físicas de carinho que não têm nada que ver com o sexo.

O discurso de que os homens são mais voltados para o sexo e as mulheres são mais românticas não encontra respaldo na realidade. Acho que foi uma "invenção" feminina com o intuito de justificar muitas de suas ações até certo ponto movidas por interesses pessoais. O "romantismo" feminino do passado estava muito voltado para interesses práticos de todo tipo, inclusive o de encontrar um marido o mais cedo possível, sem nunca se deixar envolver pelo sexo antes disso, condição que seria péssima para elas, sobretudo se engravidassem. **Hoje**

Para ser feliz no amor
Flávio Gikovate

O mundo é outro: os discursos que separam homens de um lado e mulheres de outro não têm mais sentido.
Inúmeras diferenças entre os gêneros têm se esvaído, de modo que as mulheres estão mais independentes e estudadas, além de ocuparem cargos cada vez mais relevantes. Já os homens estão mais vaidosos fisicamente e cada vez mais competentes para uma vida autônoma do ponto de vista prático. Esse universo unissex só pode trazer vantagens para todos, desde que não subestime algumas diferenças biológicas próprias de cada sexo. Como os homens são mais visuais, as mulheres tenderão sempre a se preocupar mais com a aparência física, buscando adornos capazes de encantar eroticamente a eles. Nesse aspecto os homens estão hoje em desvantagem, pois a primazia que sempre tiveram em relação a elas – a boa condição material ou social – elas conquistaram por si. O momento é claramente feminino!

Sendo fato que a condição feminina só tem melhorado, vale considerar a possibilidade de as mulheres se desarmarem um pouco mais do ponto de vista sexual. Em geral, elas cuidam da aparência no intuito de despertar o desejo dos homens, satisfazendo seus parceiros, dando-lhes prazer e, com frequência, sentindo prazer nisso. Outras, como descrevi, usam sua sensualidade como instrumento de poder e dominação sobre os homens, aceitando sua abordagem sexual "desde que ajam deste ou daquele modo". Condicionam a intimidade erótica ao bom comportamento do parceiro, o que não deixa de ser um tanto maternal. Outras ainda se recusam quase sistematicamente a se entregar ao sexo a fim de perturbar a autoestima dele.

É chegada a hora de as mulheres pensarem de forma diferente em relação ao sexo e a seus prazeres, não se preocupando tanto com o impacto que causarão ao parceiro e atendo-se mais a si mesmas e ao seu prazer. As mulheres mais atraentes são as que efetivamente gostam de sexo antes mesmo de gostar de agradar ao seu parceiro querido. Ou seja, as mulheres mais sensuais e atraentes não são as que fazem força para impressionar os homens, mas as que gostam dos toques, de se sentir excitadas, de trocar carícias. Apreciam as carícias porque elas são gostosas e não porque estão a serviço de qualquer outro objetivo. Talvez, aos poucos, elas percebam que o sexo é, antes de tudo, um fenômeno mais pessoal do que interpessoal. É claro que pode ser realizado a dois e com muito prazer. Porém, pode também ser uma prática individual.

A propósito, os homens sempre se masturbaram e, em geral, continuam a se masturbar mesmo depois de encontrarem uma parceria sexual e afetiva. Neles, seres visuais, a prática individual é estimulada facilmente, de modo que qualquer filme erótico encontrado na internet pode funcionar como estímulo para determinar o início da excitação e os toques individuais que conduzirão à ejaculação. Gostam do sexo pelo sexo porque lhes provoca sensações agradáveis e depois um relaxamento também agradável. Gostam do sexo porque, enquanto estão entretidos com esse tema, esquecem-se dos outros, sobretudo dos problemas da vida concreta.

As mulheres se masturbaram menos por mais de uma razão. A primeira delas está ligada aos preconceitos que existiam no que diz respeito às suas questões sexuais. Afora esse dado cultural muito relevante, o orgasmo não provoca o mesmo tipo de relaxamento típico da ejaculação masculina. Por fim, principalmente porque pouquíssimas mulheres se dedicaram às delícias do sexo sem pensar em qualquer tipo de uso secundário ou indireto desse que sempre foi o seu maior poder – e hoje, felizmente, se tornou desnecessário. **Aprender a curtir o sexo como fonte de prazer e de relaxamento e não como arma talvez seja a última conquista que as mulheres estão devendo a si mesmas.**

Se os homens estão devendo algo a si é sentir-se menos obrigados a desempenhar sexualmente sempre com primor e eficiência. O homem será sexualmente livre quando parar de se cobrar competência em toda e qualquer situação. Quando puder se recusar a um encontro sexual sem se sentir constrangido e achar que será malvisto. Quando puder fracassar em paz, sem ficar envergonhadíssimo, suando frio e sentindo-se indigno e desonrado. A honra dos homens não está em sua potência sexual, assim como a da mulher não está no seu recato.

Para ser feliz no amor
Flávio Gikovate

Outra emoção sempre associada ao amor e principalmente ao sexo é o ciúme. Trata-se de uma sensação terrível de desconforto, um misto de rejeição com humilhação que surge quando o indivíduo se imagina sendo trocado por outra pessoa, ainda que por pouco tempo. O ciúme é um fenômeno complexo e muitas são as pessoas que o relacionam com o nosso padrão cultural, até mesmo com a noção de propriedade privada típica do capitalismo. As explicações simplórias quase sempre são falsas e inúteis, uma vez que não ajudam as pessoas a lidar melhor com a questão. Mais simplório ainda é pensar que se pode combater o ciúme com palavras, com discursos que se oponham a ele.

Ao longo de décadas tenho dito que o ciúme tem de ser separado em dois tipos bem distintos: o sentimental e o sexual. O ciúme sentimental é o mais complicado e talvez tenha raízes mais profundas e, por isso mesmo, mais difíceis de ser extirpadas. Ele tem relação com nossos primeiros vínculos, com o anseio de prioridade – ou exclusividade – que a criancinha espera receber de sua mãe. Os cuidados maternos não são puro mimo; são absoluta necessidade de sobrevivência, de modo que podemos imaginar que, nas crianças, lutar pela atenção máxima dos adultos é parte dos impulsos ligados à própria sobrevivência. Não espanta, pois, que o nascimento de um irmão seja uma enorme ameaça: será que a mãe conseguirá cuidar tão bem dos dois? Espanta menos ainda que a criança veja o irmãozinho como ameaça, como rival, e tenha por ele sentimentos típicos do ciúme sentimental.

Para ser feliz no amor
Flávio Gikovate

Quem tem animais de estimação, especialmente cachorros, sabe que eles também são ciumentos e buscam o tempo todo ser objeto da atenção especial de seu dono e provedor. Disputam atenção e carinho com outros cães e também com as crianças da casa, sobretudo aquelas que chegaram depois deles. É impossível pensar no ciúme sentimental apenas em termos de propriedade privada e achar que vamos ser capazes de nos livrar dessa emoção com facilidade. Volto a registrar que os amores adultos guardam, no mínimo, semelhanças simbólicas com o que vivenciamos como crianças – o que também inclui o ciúme.

Tenho reiterado ao longo deste livro que muitos são os adultos imaturos que vivenciam o amor adulto de forma muito parecida com as relações afetivas da infância, compondo não só dependências simbólicas como operacionais – vindo estas últimas em geral acompanhadas de fortes exigências, cobranças mesmo. Assim, os adultos podem manifestar seu ciúme sentimental de dois modos, de acordo com o grau de maturidade emocional: sentindo o desconforto de não ser prioridade na vida da pessoa amada naquele momento; exigindo e se achando no direito de reivindicar plena atenção e cuidados do parceiro o tempo todo. Os primeiros sofrem com a desatenção. Os segundos parecem mais preocupados com o aspecto prático, morrendo de medo de perder os que os protegem e a quem supostamente amam – na prática, mais se deixam amar.

Em outras palavras, os que amam com intensidade menor ou fogem de envolvimentos intensos – os egoístas – costumam ser mais ciumentos, e sua motivação, como a da criança pequena, é a de cuidar "do que é seu". Os que amam sem a correspondência – os generosos – sentem o forte desconforto do ciúme porque se veem pouco atendidos em seus anseios quando tratados com descaso excessivo. Os que amam e são amados, ou seja, os que vivem os verdadeiros relacionamentos amorosos, experimentam o ciúme sempre que não se sentem prioridade na vida de seus parceiros. Sofrem quando são preteridos e só ficam confortáveis quando se sentem a pessoa mais importante na vida do amado.

O ciúme sentimental não tem nada que ver com o sexual. Ele viceja em todas as pessoas emocionalmente importantes para o parceiro: seus pais, irmãos, amigos íntimos e outros personagens com quem não existe a menor possibilidade de existência de entusiasmo erótico. Estamos diante, pois, de um fenômeno intenso e de difícil solução. Talvez um dia o ciúme sentimental possa ser controlado. Creio também que o ciúme que deriva de dependências operacionais tenderá a desaparecer à medida que as pessoas se tornarem mais maduras e independentes do ponto de vista prático. Porém, não acredito que os que amam de verdade consigam se livrar totalmente do ciúme de natureza sentimental e simbólica.

Quanto ao ciúme sexual, outros aspectos interessantes devem ser objeto de ponderação. Eles são de natureza muito diferente do que descrevi até aqui, posto que o sexo deve ser visto mais que tudo como um fenômeno pessoal. Muitas mulheres ficam enciumadas quando percebem que seus parceiros estão olhando com desejo para outras. Aqui o ciúme é obviamente complexo, incluindo uma mistura de inveja – sobretudo quando a outra é mais atraente – e ofensa à sua vaidade. Aliás, na inveja o que sempre está em jogo é a vaidade, pois na comparação a pessoa se sente perdedora e isso é vivido como humilhação. A inveja é, pois, um subproduto da vaidade.

Os homens também sentem grande desconforto quando percebem que suas parceiras despertam o interesse de outros. Trata-se de algo um tanto paradoxal, pois nenhum gostaria de ter uma namorada que não fosse interessante também aos olhos dos outros homens. Ao mesmo tempo, depois de já estarem namorando costumam tentar interferir na forma como elas se vestem para que se tornem menos atraentes. Aqui entra em jogo outro aspecto curioso: eles parecem não confiar nas mulheres. É como se elas não fossem suficientemente firmes para resistir à sedução de outro homem, como se elas fossem fracas do ponto de vista psicológico e moral, necessitando ser cuidadas para se comportar adequadamente. Existem inclusive alguns ditos populares terríveis descrevendo esse tipo de preconceito masculino que já deveria ter acabado há muito tempo, como: "Não existe mulher honesta; só existe mulher mal cantada".

Para ser feliz no amor
Flávio Gikovate

Certos homens, por sua vez, adoram desfilar ao lado de mulheres que despertam grande interesse nos outros. Envaidecem-se com isso, sentem-se orgulhosos por estar ao lado de alguém muito cobiçado, como se o sucesso delas se estendesse a eles. Envaidecem-se por tabela, assim como alguns homens ricos gostam de dar joias caras a suas parceiras para que, com isso, todos vejam como ele é próspero. Tais condutas, que não têm nada de sofisticadas, só são explicadas pelo papel importantíssimo que a vaidade, esse elemento fundamental do erotismo, exerce sobre nós.

Até aqui estou me referindo ao ciúme diante de hipóteses, diante de desejos que se acredita haver na mente dos parceiros. A situação se torna mais problemática quando as pessoas cogitam a existência de uma efetiva traição, ou seja, que haja mesmo algum tipo de contato ou convívio mais íntimo com outra pessoa. É claro que muitos fazem essa suposição sem estar devidamente fundamentados. Temem e se manifestam, por vezes de modo dramático, talvez no intuito de impedir que aconteça aquilo que lhes provocaria muito sofrimento. O ciúme infundado é mais comum nas pessoas em que a dependência é de natureza prática, infantil, o que me parece lógico e compreensível, pois o medo de perder o parceiro corresponderia a uma dor mais intensa.

Os imaturos se acham no direito de agir em função do ciúme de forma clara e direta: afastam os parceiros

de todos os seus entes mais queridos quando o ciúme é sentimental; evitam todas as situações sociais quando se trata de algo mais sexual. Ficam incomodados até mesmo quando o parceiro manifesta admiração por um artista, cantor ou celebridade! Em nome do amor e do ciúme, exigem todo tipo de exclusividade capaz de escravizá-lo. É mais que evidente que esse tipo de conduta não funciona ao longo do tempo; relacionamentos desse tipo, mais cedo ou mais tarde, terminam em separação.

Gostaria de reafirmar o que me parece óbvio. O ciúme não é prova de amor. Costuma acompanhá-lo, mas os ciumentos são os que estabelecem mais dependências práticas, e não os que mais amam. Assim, não cabe a excessiva tolerância de alguns para com esse sentimento. Trata-se de uma emoção inevitável, mas que deve ser objeto de administração e máximo controle justamente a fim de preservar os legítimos direitos do amado.

O ciúme sexual tem mais correlações com a vaidade do que com o amor. É claro que quase ninguém simpatiza com a ideia de seu amado trocar carícias eróticas com outra pessoa. Mas não há como deixar de registrar que a ferida no orgulho é enorme ao imaginar que o parceiro esteja curtindo aquele tipo de intimidade. O orgulho fica ainda mais ferido se imaginamos que ele está tendo prazer maior do que conosco. Isso acontece mesmo que não exista o medo de perder. O que está em jogo é sempre um tipo de competição na qual ninguém suporta a ideia de ser o perdedor.

Assim, a traição é sempre um problema enorme, capaz de provocar fissuras complexas e difíceis de ser superadas. A traição essencialmente sexual é horrível para a maioria das pessoas que de fato se amam. Porém, minha experiência diz que ela é mais facilmente superável que aquela de natureza sentimental. O sexo é fenômeno pessoal, mas quando as carícias são trocadas com outra pessoa há sempre o temor e o perigo de que elas sejam mais prazerosas e também de que surja um clima de intimidade capaz de gerar algum tipo de sentimento.

O sexo casual é prática mais característica dos homens, hoje imitada também por algumas mulheres. Gera pouca satisfação, uma vez que o convívio, ainda que mínimo, depois da satisfação sexual é bastante desinteressante, quando não desagradável. Penso que tem ligação com a história da humanidade, na qual a proibição de todas as atividades sexuais fora do contexto matrimonial sempre foi regra. **Acontece que a proibição aumenta o desejo! Assim, acreditava-se que não se deveria desperdiçar nenhuma oportunidade erótica que surgisse. A maioria das vivências eróticas "proibidas" e casuais era praticada com a intermediação de profissionais ou no convívio com moças de classe social inferior. A intimidade erótica entre homens e mulheres** da mesma condição social acontecia na situação de amantes, e o elemento sentimental acabava sempre por se tornar relevante.

Segundo tenho observado, sobretudo entre os jovens, o sexo casual torna-se menos frequente, sendo cada vez mais substituído pela masturbação. Esta não deve ser entendida como traição, pois se trata de uma prática individual em que as fantasias estimulam o autoerotismo. Não existem, segundo creio, limitações e controles possíveis ou desejáveis para o livre exercício da atividade mental de cada um. As pessoas são livres para pensar e imaginar o que quiserem, mas não para exercer seus desejos ou fantasias se isso implicar o sofrimento de outrem. O freio moral só deve se manifestar na transição entre o pensamento e a ação.

Um fato novo a ser considerado diz respeito aos relacionamentos virtuais, nos quais há troca de mensagens apenas eróticas ou também sentimentais. Penso que se trata de algo similar ao que acontece no mundo real. As diferenças entre virtual e real estão se esfacelando e as pessoas se relacionam da mesma forma e com igual intensidade pelos dois caminhos. Visto desse ângulo, paquerar alguém pela internet, manter conversas eróticas mesmo que com pessoas com as quais nunca se esteve é diferente de construir uma fantasia mental e se imaginar numa situação erótica totalmente fictícia. O mundo virtual é tão real quanto o mundo concreto, valendo para ele as mesmas regras; ou seja, estabelecer contato virtual é uma ação e não um pensamento.

Para ser feliz no amor
Flávio Gikovate

A traição sexual, ou seja, a busca de aventuras eróticas fora do vínculo afetivo estável que se esteja vivendo, é algo que tenderá a se tornar mais e mais raro. Sempre será um problema, pois o ciúme machuca e a confiança fica abalada. A lealdade, a sinceridade e a certeza de que o parceiro jamais agirá contra nós são fundamentais para um bom relacionamento amoroso. **Assim, quem está disposto a viver um amor verdadeiro terá de superar mais este obstáculo: o de aprender que desejos não são ordens e que preservar o bem maior – a boa relação afetiva – compensa a frustração de não poder exercer livremente os ímpetos eróticos.** Afora isso, acredito que as tentações eróticas serão mais facilmente toleráveis nesse ambiente de fartura de imagens e conversas eróticas em que temos vivido.

Quanto à traição sentimental, o problema é bem mais complexo e deve ser pensado com extremo rigor. Aquele que está bem sentimentalmente não busca nem tem disponibilidade para outro envolvimento amoroso. Caso isso aconteça, é claro que existe um problema no vínculo original. E aqui também é importante registrar a diferença de comportamento entre os mais egoístas e os mais generosos. Os primeiros quase sempre se sentem por baixo na relação com os mais generosos. **Apesar do discurso de autossuficiência, sabem que são mais dependentes do que gostariam. Apesar de falarem muito bem de si mesmos, conhecem suas fraquezas.**

Para ser feliz no amor
Flávio Gikovate

Ademais, não é raro que, estando comprometidos com um parceiro generoso, envolvam-se sentimentalmente com parceiros mais frágeis, dependentes e inseguros que eles. Ou seja, buscam uma relação em paralelo na qual eles é que serão os mais generosos!

Detectam-se, assim, a inveja que o egoísta sente do generoso e o prazer que pode ter ao desempenhar seu papel nessa relação que ocorre ao mesmo tempo que a primeira. Sim, porque, se o parceiro generoso ficar sabendo e o que está traindo se vir forçado a optar, a escolha sempre recairá sobre a perpetuação do elo original, no qual estão os elementos de segurança e proteção. É como se a ligação com o egoísta fosse apenas uma brincadeira, apesar de implicar um envolvimento emocional por vezes bastante intenso – e livre das dependências práticas, que continuam ligadas ao parceiro original. São situações intensas do ponto de vista erótico, graças à inexistência do ingrediente invejoso capaz de sabotar a boa intimidade com o mais generoso.

Já os generosos, quando se envolvem sentimentalmente em paralelo, já estão bastante frustrados com o elo que estão vivendo. Sentem-se mais seguros e buscam parceiros dedicados e mais parecidos consigo mesmos. O envolvimento sentimental costuma ser forte, tipo paixão – amor de grande intensidade e medo de igual dimensão. Em geral não têm coragem de abandonar o primeiro parceiro para iniciar um novo relacionamento com o objeto da paixão devido ao medo do amor, como vimos.

… Para ser feliz no amor
Flávio Gikovate

De todo modo, mesmo que o relacionamento com mais afinidade não se concretize, fica difícil manter o elo inicial. A confiança de um parceiro traído, seja ele generoso ou egoísta, é difícil de recuperar. Querem saber detalhes do que aconteceu, mas não são postos a par de tudo. Transformam-se em detetives e vão atrás de informações de todo tipo para saber os detalhes do que se passou. Acham que, com isso, é mais fácil superar a decepção derivada da perda da confiança. Eu, porém, não creio que ajude muito.

No fim, quase sempre os relacionamentos em que houve uma traição sentimental terminam em separação. A crise vivida pelo casal é dramática, dolorosa, e só se transforma em uma porta na direção do aprimoramento da intimidade do casal se ambos reconhecerem seus equívocos, considerando-se coautores do que aconteceu. Por exemplo, se uma mulher que foi traída reconhecer que não foi tão dedicada ao parceiro quanto deveria, não se soltou sexualmente como ele esperava e fez demandas insistentes, é possível que o relacionamento evolua para um novo elo, mais rico e sofisticado.

Quando o homem que foi traído reconhece ter-se voltado só para os seus interesses e se dedicado ao trabalho de forma insana, dando pouca atenção à parceira, talvez seja capaz de entender que deixou nela uma lacuna sentimental que acabou sendo preenchida por outro personagem. Ainda que homens e mulheres reconheçam todos os seus erros, sempre pode acontecer de um dos dois achar mais

interessante romper a relação e seguir em frente com seu novo amor.

A traição sentimental fere muito profundamente as pessoas. Uma vez rompida, confiança é algo difícil de ser reconstruído e nem sempre vale a pena o esforço, sobretudo na fase inicial dos namoros. Também é preciso levar em conta as características daquele que traiu: se faz isso rotineiramente ou se se trata de um acontecimento eventual, ligado a uma insatisfação momentânea que foi corroborada pela displicência do parceiro. Tudo tem de ser pensado e ponderado. Sim, porque as crises são muito dolorosas e ao menos têm de servir para nos ajudar a conhecer melhor a nós mesmos e às pessoas. Em uns poucos casos, pode ser o início de um relacionamento mais rico e amadurecido. Na maior parte das vezes, porém, é o início do fim. Ou o próprio fim.

AS CRISES, O FIM DO NAMORO E A SUPERAÇÃO

seis

As crises nas relações sentimentais correspondem àquele estado doloroso e carregado de dúvidas que se manifesta quando o casal parece ter chegado a um impasse, a um beco sem saída. É o que acontece quando se descobre a traição de um deles, quando um dos dois recebe uma proposta fascinante de trabalho em outra cidade, quando surgem divergências de natureza religiosa marcantes que parecem intransponíveis, e assim por diante. São crises agudas que exigem muitas vezes soluções mais ou menos rápidas.

Outras são de manifestação e evolução crônica e podem ser objeto de conversas e discussões mais longas e profundas. Como exemplo, podemos citar a insatisfação sexual manifestada por um dos parceiros que foi subestimada até que o queixoso se mostra disposto a se separar; ou as dificuldades que homens e mulheres costumam sentir quando elas têm mais sucesso profissional e ganham mais que seu parceiro; ou, ainda, as que derivam do fim da idealização inicial.

Vale a pena começarmos pelo fim. Quase sempre, no início dos relacionamentos, os que se conhecem e se encantam acabam por idealizar aquele que foi "eleito" como objeto do amor. Este só tem virtudes, é mais que

perfeito e praticamente infalível. Com o passar das semanas, o personagem muda de figura; surgem algumas de suas reais características, em geral diferentes das que foram idealizadas. A dimensão do equívoco depende de cada circunstância. Por vezes o problema é do que se encantou: estando tão disposto a se envolver, projetou naquela criatura as propriedades que gostaria que ela tivesse. Em outras, é a ilusão criada por enormes afinidades que podem efetivamente existir, mas camuflaram diferenças também radicais. Em outras ainda, o objeto do encantamento, mentiroso, mostrou-se de um jeito muito diferente do que realmente é.

As pessoas tendem a idealizar com facilidade eventuais paqueras, vendo nelas tudo que anseiam, porque estão "carentes" e sedentas para amar. A expressão "carência afetiva" é pouco útil, sendo em geral usada quando o indivíduo quer receber mais cuidados do que os que lhe cabem, quando tenta encobrir erros de escolha que cometeu, quando quer dizer que teve uma infância particularmente difícil e frustrante – necessitando, assim, de elos afetivos intensos e aconchegantes. Não simpatizo com a postura daqueles que, por terem enfrentado essa ou aquela dificuldade durante o início da vida, se acham com algum tipo de direito especial durante todos os anos que se seguirão.

Penso que todos somos carentes: não nos sentimos completos em nós mesmos e buscamos algum tipo de aconchego afetivo. Assim, falar em maior ou menor carência exigiria um equipamento especial, inexistente,

capaz de medir a dimensão da carência de cada um. Do mesmo modo, também não gosto quando as pessoas se autodenominam "muito sensíveis" porque toleram menos as dores físicas ou emocionais. Só podemos dizer que são mais intolerantes à dor; qualquer esforço de quantificar aspectos subjetivos é impossível. Além disso, os que pretendem fazê-lo sempre estão dispostos a encontrar uma explicação favorável aos seus interesses, postura duvidosa para quem se preocupa com a honestidade intelectual.

Retomando a questão do fim da idealização inicial, é provável que muitos relacionamentos terminem em decorrência desse fato. Isso é particularmente verdadeiro nos casos em que a pessoa foi iludida por alguém que se mostrou delicado e atencioso e, mais cedo ou mais tarde, mostra sua faceta agressiva, falsa e egoísta. O encantamento se esvai e a ruptura se impõe como a única saída de bom senso. O mesmo vale para os casos em que, mesmo havendo afinidades, alguns defeitos se mostram intoleráveis; por vezes, podem parecer pouco importantes, mas para fins de um relacionamento mais sério não o são. É o caso de cheiros corpóreos muito desagradáveis – mau hálito, por exemplo – ou de certos hábitos de higiene, assim como da ingestão excessiva de álcool ou do uso de drogas ilícitas.

Nos casos em que os defeitos não são de grande monta, o fim da idealização corresponde a uma crise de dimensões aceitáveis e o relacionamento, agora pisando em terreno mais firme e realista, prospera. É claro que todos esses aspectos acontecem nas duas direções: nós idealizamos e somos idealizados, o que significa que talvez o parceiro, ao se livrar da idealização, não nos queira mais. O jogo do amor tem essa característica: podemos tomar a iniciativa de romper e também ser surpreendidos com uma disposição desse tipo por parte do outro.

A superação da crise de idealização corresponde a um avanço na aceitação da realidade. Implica um crescimento emocional relevante, pois permite amar uma pessoa apesar de suas imperfeições. É muito mais fácil e seguro amar um ser perfeito, que jamais nos decepcionará. É bem mais difícil amar um simples ser humano. Requer coragem para correr os riscos dos desatinos que ele pode cometer e repercutirão em nós.

Por vezes as pessoas, em busca da segurança no amado, desenvolvem uma confiança absoluta nele muito antes do tempo necessário para que ele se provasse, de fato, confiável. Confiança máxima pode surgir depois de anos de convívio, quando o caráter da pessoa foi testado nas mais diversas e adversas situações da existência.

Outro tipo de crise, que pode ou não implicar superação e avanço pessoal, tem que ver com o caráter possessivo e ciumento do amor, sobretudo nessa primeira fase em que a confiança ainda não é absoluta. Para alguns, o respeito por sua individualidade e a ausência de atitudes excessivamente restritivas à sua liberdade são requisitos indispensáveis. Outros lidam melhor com parceiros controladores.

Quando esse tipo de dilema se manifesta e ambos mostram pontos de vista irredutíveis – um quer controlar e o outro deseja mais liberdade –, talvez se constitua uma crise que desemboque em ruptura mesmo quando ambos se dão bem e têm várias propriedades em comum. Esse aspecto é extremamente relevante para ambos e, quase sempre, é o mais controlador que não quer – e, mesmo que queira, nem sempre consegue – se modificar. Reafirmo: ninguém tem de se modificar para agradar a um parceiro ou mantê-lo; ninguém precisa mudar por qualquer outra razão que não seja sua vontade e disposição pessoal para tal.

Ainda hoje é um problema para muitos casais quando a mulher evolui mais profissional e financeiramente do que o homem. Este se sente diminuído e, em muitos casos, fica até mesmo travado do ponto de vista sexual. O desconforto é grande; não raro, ele acaba se encantando em paralelo por outra mulher menos bem-sucedida que ele, condição que mostra com clareza seu desconforto diante da namorada – ou esposa – que tem mais sucesso do ponto de vista financeiro. O curioso é que nesse ponto – e ainda hoje – homens e mulheres estão de acordo, uma vez que as mulheres também se incomodam quando seus parceiros não vão tão bem profissionalmente quanto elas.

Para ser feliz no amor
Flávio Gikovate

O fato é que depois de tantas décadas de feminismo ainda há inúmeros resíduos da tradição machista na alma de homens e mulheres. Afinal, que diferença faz se é o homem ou a mulher que ganha mais? Em que aspecto a condição financeira é relevante para definir as características de personalidade, caráter, delicadeza de alma e bons sentimentos? É urgente rever esse aspecto da personalidade em todos nós, pois em breve as mulheres passarão a ganhar mais que os homens, o que implicará um novo padrão de relacionamento afetivo bem interessante.

Ainda falta muito para entendermos o essencial acerca do que seja o feminino. Ao longo dos séculos, as mulheres sempre foram vistas como criaturas secundárias, como uma espécie de sombra ou de negativo dos homens. O feminino sempre foi definido a partir do masculino, como o que não é masculino – e por vezes como seu oposto. A própria psicanálise de Freud é pouco esclarecedora acerca das mulheres, que sempre tiveram papel menor. Agora que elas vão ocupar o papel principal, espero que consigam construir uma autoimagem que não seja nem a imitação do masculino tradicional nem seu oposto. Estamos todos à espera de uma concepção original, própria, do que é ser mulher.

Voltando aos conflitos crônicos, um dos mais dramáticos é o que acontece entre os que se amam de verdade, mas no qual um dos dois evoluiu intelectual e emocionalmente mais do que o outro. Isso é comum entre casais que se conheceram cedo, começaram a namorar antes da plena maturidade e são semelhantes em inúmeros aspectos emocionais, porém não seguem a mesma rota evolutiva. Na maioria dos casos ainda é o homem que, por força de sua atividade profissional exigente, torna-se mais evoluído; porém, tal norma está se invertendo, como já comentei.

São histórias particularmente tristes, pois seu curso poderia ter sido diferente. Se os jovens souberem que isso pode vir a se transformar em um grave problema, talvez se empenhem mais para que esse distanciamento não aconteça. No caso de algumas moças, acabam negligenciando a evolução psicológica em função de tarefas tradicionalmente femininas, pensando que com isso agradam aos seus parceiros queridos. E de fato o fazem. Porém, com o passar dos anos de convívio pode surgir uma lacuna grave em termos de mentalidade, nível de instrução e de conversas. A intimidade intelectual vai, aos poucos, adquirindo importância na perpetuação do encantamento. E a regra é que, pelo decréscimo de afinidades nessa área, essas relações terminem em dolorosas separações. Dolorosas e cordiais, pois o que os separou não foi nada capaz de gerar mágoas ou ressentimentos. Trata-se de um fato triste, que pode muito bem ser prevenido se os que se amam perceberem a importância de caminharem juntos em todos os aspectos, inclusive no plano intelectual.

Definitivamente não se devem subestimar as queixas e os lamentos do parceiro, ainda que sejam feitos de forma discreta e delicada. Não adianta buscar argumentar, dizendo que as queixas são infundadas, que ele não está certo em se aborrecer com isso ou aquilo. Ele está, de fato, se aborrecendo, e se for possível o melhor é evitar que o desconforto persista. As pessoas tendem a considerar as queixas do outro irrelevantes quando não concordam com o que elas próprias sentiriam naquela situação. São exemplos disso a excessiva dedicação do(a) namorado(a) à família, aos amigos, aos estudos, ao trabalho – enfim, a tudo que diminua a cota mínima de atenção voltada ao parceiro.

Ao longo dessas discussões, as pessoas acabam reclamando do par para neutralizar ou rebater as queixas advindas dele. Trata-se de um caminho equivocado, pois acaba criando confusão entre fatos que não estão relacionados – ou então confundindo causas com consequências. Por exemplo, quando o namorado se sente pouco atendido porque a moça é muito dedicada à família, ele pode reagir a isso se afastando e passando mais tempo com os amigos. Se a moça, durante a discussão, alegar que ele também se afasta em momentos nos quais ela gostaria de estar com ele, usará um argumento ruim: estará se valendo de uma consequência – ele buscar a companhia dos amigos – para justificar a causa do desencontro, a saber, ela ser muito ligada aos parentes.

Cada um deve estar sempre bem atento às suas ações e às reações que elas determinam. É preciso separar o que determina o início de um desencontro, sobretudo quando se quer construir uma boa relação. Confundir causas com consequências pode ser um jogo de argumentos muito interessante, mas não ajuda em nada o casal a se aproximar, se entender e superar as diferenças. **Sempre que as mágoas não são bem discutidas e superadas, elas se colecionam e o copo, em algum momento, transborda, determinando o fim de uma relação que, conduzida com mais cuidado, poderia ser promissora.**

Não adianta a pessoa ter certeza de que suas ações são dignas e adequadas. Se elas foram desagradáveis e mal recebidas pelos interlocutores, em especial pelo namorado, talvez se trate de conceitos e atos equivocados. Creio que, na prática da vida, aquilo que dá certo é o que deveria ser considerado fruto de ponderações e deduções adequadas. Boas ideias que, na prática, dão errado não servem para muita coisa a não ser para alimentar infindáveis discussões; e muitas vezes fazem parte de uma argumentação defensiva, pela qual a pessoa tenta melhorar sua posição diante de uma briga na qual não foi bem-sucedida.

As crises precisam ser tratadas com muito cuidado, pois são o embrião de um avanço em alguns casos e o fundamento da ruptura na maior parte deles. Os casais que quiserem de fato ficar juntos deverão se empenhar muito nessa direção. Terão de lidar de forma delicada e respeitosa com os pontos de vista do parceiro e, como afirmei antes, agir com grande empatia, tentando sempre entender o pensamento e as emoções do amado. Isso é particularmente verdadeiro quando estamos diante de um tipo de crise mais grave, aquela em que o impasse é quase sem saída.

No caso já comentado da traição sentimental, o processo de recuperação da confiança é muito difícil e penoso. Só vai acontecer se o casal for capaz de substituir o relacionamento que fundamentou a infidelidade por outro mais sincero, mais completo, no qual ambos confidenciem suas sensações íntimas de forma mais verdadeira e profunda do que fizeram até então. Falariam mais claramente sobre seus defeitos e limitações, mostrariam de modo mais explícito suas dificuldades na área sexual e assim por diante. Depois de uma traição, ou o casal consegue evoluir e construir um relacionamento novo e mais rico ou o acontecimento tornar-se-á insuperável, provocando o fim da relação.

As diferenças religiosas não costumam ser um obstáculo à continuidade de uma relação amorosa, a não ser nos casos em que um dos dois seja – ou venha a se transformar em – um seguidor rigoroso dos ditos de sua igreja. Ainda assim, se for respeitoso para com o comportamento do parceiro nessa área, os acordos serão possíveis. Porém, a maior parte dos que se dedicam de modo radical a uma religião torna-se rígida também no sentido de não aceitar os pontos de vista dos que se opõem à sua forma de se relacionar com a divindade. Em outras palavras, salvo se houver enorme boa vontade e um desejo de estar juntos que supere o radicalismo religioso, a relação tende a terminar.

Situação similar acontece quando o casal fica exposto ao dilema de continuar a namorar a distância ou romper o relacionamento. Muitos são os que, mais individualistas, se dão bem passando boa parte do tempo longe do parceiro. Outros gostam do convívio intenso, tolerando muito mal o tempo em que estão distantes do amado. Cada caso é único e cabe ao casal discutir com honestidade e objetividade se consegue ou não suportar a distância.

É claro que tudo depende também do tempo previsto de afastamento. Não são raras as situações em que um ou outro altera o rumo de sua carreira profissional ou de seus estudos para que o distanciamento seja mais breve. Depende também do apego de cada um à sua atividade pessoal. De todo modo, não cabem mais as posturas tradicionais que sugeriam que a mulher deveria se sacrificar para ir ao encontro do amado. Os tempos são outros, e não há como negar a importância atual do trabalho para ambos os sexos.

A habilidade de negociar certamente tem enorme influência no que acontece quando se está diante do dilema da continuidade ou não de um relacionamento. A sabedoria consiste em falar sempre a verdade, tudo

que se sente e pensa, porém de modo adequado e sobretudo na hora certa. Não se fala apenas porque se está com vontade de falar, mas porque se acha que o outro vai ouvir com cuidado, entender o ponto de vista exposto e ponderar a esse respeito. As crises, quando mal conduzidas, levam a separações que poderiam ter sido evitadas.

As separações são sempre dolorosas, pois nos lembram das rupturas infantis, como vimos. Esse tipo de dor não deve ser subestimado, especialmente porque é muito raro que aconteça por vontade de ambos. A iniciativa costuma ser de um deles, talvez o que tenha tido maiores frustrações ao longo do relacionamento – ou aquele que já tenha outro projeto sentimental encaminhado.

Aquele que é abandonado experimenta, além da dor da ruptura amorosa, uma forte sensação de rejeição, ligada à humilhação. Por vezes se sente envergonhado perante amigos e parentes, como se tivesse sido reprovado em algum exame importante. Como já citei, não é raro que lute para impedir a ruptura, aceitando viver um clima de humilhação que o seu aparente orgulho jamais permitiria. Nessa hora, a máscara de certas pessoas cai e elas mostram toda sua fraqueza.

De todo modo, a experiência de separação é dolorosa também para aquele que tomou a iniciativa. É claro que isso é bem mais intenso nos casos em que os parceiros tinham uma vida em comum. Ao desmontá-la, surgem desconfortos de ordem prática que se somam aos sentimentais. A sensação de desamparo é ainda maior quando alguém tem de sair da casa onde mora, se ver solto no mundo; a casa também é fonte de aconchego. Não espanta que tanta gente tente postergar ao máximo esse dia e que muitos outros só tomem a iniciativa de se separar quando têm outro interesse sentimental – condição que gera a força necessária para fazer o que já queriam ter feito há bastante tempo.

Certos indivíduos experimentam um quadro mais ou menos grave de depressão quando da ruptura de um elo sentimental que consideravam importante e terminou por inabilidade ou incompetência deles. Muitos casos requerem o uso de medicação antidepressiva e acompanhamento psicoterápico. Tudo depende da predisposição de cada um e também da capacidade de lidar com adversidades e sofrimentos. Alguns parecem mais dotados que outros para aguentar os trancos da vida, inclusive esse, que está longe de ser de pequena monta.

Não é impossível que as primeiras vivências afetivas ao longo da infância criem condições mais ou menos favoráveis para que a pessoa seja capaz de lidar com esse tipo de sofrimento. Os que vivenciaram elos sólidos, consistentes e gratificantes durante a infância – infelizmente uma minoria – crescem com mais força para lidar com essas situações. Talvez não sintam as rupturas tão intensamente como rejeição, provavelmente por terem consciência do próprio valor – consciência essa derivada do modo como foram amados e acolhidos na família. A maioria, porém, se desestrutura diante desse tipo de problema.

Certas pessoas têm enorme dificuldade de romper elos sentimentais mesmo quando as condições objetivas lhes obrigam a isso. Ou seja, separam-se porque o parceiro assim o desejou, mas não o esquecem; e, de certa forma, cultivam mais a ilusão do que a esperança de retomar o elo. Isso acontece mesmo quando aquele que foi abandonado reconhece que o que lhe aconteceu pode ter sido bom, que a parceria não era tão legal a ponto de ficar lamentando da forma que lamenta.

Alguns ficam assim inconformados por meses, quando não anos. Não raro já estão vivendo outra relação, por vezes de qualidade bem melhor do que a anterior, mas nem por isso se desligam do seu passado sentimental. Olhando de fora, parece pura teimosia, atitude própria de pessoa obstinada que não aceita que as coisas não tenham acontecido de acordo com sua determinação. Por vezes, penso que lhes falta docilidade, ou seja, a consciência serena de que nem tudo está em nossas mãos e de que aquilo que não depende de nós deve ser aceito sem revolta de qualquer tipo (Epiteto).

A separação tem várias fases. A primeira está ligada à ruptura propriamente dita, à dor de amor e, não raro, à ofensa à vaidade pelo fato de ter sido abandonado. Ela tende a durar algumas semanas, podendo se estender por mais tempo justamente naquelas pessoas mais inconformadas. A ela se segue o período em que a pessoa se vê sozinha de novo, nem sempre muito próxima dos amigos, uma vez que durante o namoro é normal que as relações de amizade sejam negligenciadas. Nesse caso, experimenta momentos dolorosos, tristes; momentos de solidão.

A solidão corresponderia àquelas situações em que estar só gera dores terríveis de desamparo e vazio que tanto nos apavoram e são a força motriz para que busquemos elos sentimentais nem sempre de qualidade. Dizendo de outro modo: esse não é um bom momento para outros envolvimentos, pois a margem de erro num contexto desses é enorme. Talvez seja mais interessante tolerar essa fase com mais firmeza, buscando a reaproximação com os amigos, ocupando-se com seus afazeres e esperando as dores arrefecerem.

Costuma-se falar em solidão sempre que a pessoa está sozinha. Porém, são dois momentos muito diferentes, embora para ambos se use a mesma palavra. O período que se segue à ruptura sentimental é dolorido, como se algo estivesse sendo rasgado dentro da pessoa. É uma fase de transição, pois o indivíduo se havia habituado a viver em parceria e agora se vê só. As grandes dores – e também as grandes alegrias – só acontecem nas transições. Depois, tudo se acomoda e fica diferente, pois a pessoa se acostuma à nova condição e pode inclusive começar a apreciar algumas das suas vantagens.

7 sete — SER SÓ

Numa cultura que valoriza a vida em grupo e o amor como solução principal para o desamparo, tem-se a impressão de que a existência de uma pessoa só é algo terrível e motivo de permanente infelicidade. O que é fato é que havia grande preconceito contra os solteiros, sobretudo as mulheres, como se elas não tivessem as virtudes necessárias para cativar um parceiro sentimental. Isso lhes parecia grave porque pensavam que só seriam felizes tendo filhos e um marido provedor e protetor. Se um dia isso foi verdade, hoje definitivamente não o é.

Mesmo nos tempos em que se valorizavam o casamento e a vida em família, muitas das pessoas mais diferenciadas permaneceram solteiras. Quase todos os grandes filósofos viveram sós, e creio que a qualidade de vida dos padres e freiras de antigamente era melhor do que a daqueles que se casavam, tinham inúmeros filhos e trabalhavam de sol a sol para conseguir sustentá-los.

Para os que pretendiam se dedicar aos estudos e a interesses pessoais, como filósofos, artistas e intelectuais, a vida solitária era interessante, pois ficavam menos obrigados ao ganho material e podiam se dedicar aos estudos integralmente. Além disso, não tinham dependentes e viviam um contexto de descompromisso

objetivo que lhes permitia mergulhos na subjetividade dos seus pensamentos sem nenhum sentimento de culpa e sem a sensação de estar privando quem quer que fosse de cuidado e atenção.

A situação dos que, hoje, vivem sozinhos também pode ser interessante e gratificante. Talvez isso não aconteça de imediato, pois não é o estilo de vida valorizado socialmente e as pessoas sempre temem sair do padrão oficial. Em geral, não acontece por vontade própria, mas como subproduto de um investimento emocional malsucedido. Quando o indivíduo se decepciona em um relacionamento amoroso e é obrigado a se separar e a ficar sozinho, talvez experimente de início as dores da solidão. Com o passar das semanas, porém, adapta-se à nova condição e começa a ver os aspectos positivos que caracterizam esse estilo de vida – particularmente interessante nos dias que correm.

Homens e mulheres têm acesso a enormes facilidades operacionais que os ajudam a dar conta dos aspectos práticos do dia a dia. Equipamentos eletrônicos de todo tipo, comida pronta e entregue em domicílio, porções individuais nos mercados, imóveis menores e a preços mais acessíveis – tudo organizado para o bem de quem decidir viver só. Trata-se de uma boa iniciativa, uma vez que em épocas de crise e insatisfação as chances de escolhas equivocadas só aumentam. Talvez muitas pessoas descubram que se dão melhor vivendo sozinhas do que em companhia de um parceiro que não seja exatamente a criatura dos seus sonhos. O fato é que o número dos que vivem sozinhos, por vontade inicial ou não, só cresce – sobretudo nas cidades maiores e em todas as grandes capitais do mundo.

Penso que existem três estados civis: malcasados, solteiros e bem-casados. Sinto-me seguro em afirmar que o modo de vida dos solteiros é muito melhor do que o dos malcasados. Em breve as pessoas perceberão esse fato e o número de divórcios crescerá ainda mais. Será parte de uma adaptação aos novos tempos, pois no futuro os indivíduos tenderão, caso queiram se casar, a fazê-lo mais tarde – e só com a forte convicção de que estão se ligando a alguém com quem serão mais felizes do que sozinhos. As pessoas só abandonarão a ótima condição de vida dos solteiros por uma aposta muito bem fundamentada de sucesso em um relacionamento de ótima qualidade.

Quem vive só pode dispor do tempo livre de forma própria, não precisando negociar com o parceiro a programação do próximo fim de semana ou das férias. Para os que gostam de levar uma vida sexual ativa e variada, não há dúvidas de que a condição de solteiro é bem mais conveniente. Não existem limitações para suas atividades nessa área e, hoje, não há qualquer estigma grave ou censura que recaia sobre as mulheres que tenham esse mesmo tipo de gosto.

No entanto, o viver só provoca, por vezes de forma bem ostensiva, desamparo e incompletude, sensações

que costumam ficar camufladas quando se vive a dois. Os que vivem bem sozinhos já se acostumaram a sentir esse vazio e entenderam que ele não é tão dramático; que, aos poucos, a dor se torna menos severa. Ou seja, todos os estados de ânimo e dores íntimas que são atacados de frente acabam se tornando mais toleráveis, mais fáceis de lidar.

Quem vive só aprende a atenuar a dor do desamparo ocupando-se de seus afazeres pessoais, dedicando-se a atividades interessantes, cuidando do corpo, mantendo um relacionamento ativo com amigos reais ou virtuais; tudo isso atenua as sensações ruins que todos temos dentro de nós. Só o amor de boa qualidade pode se comparar às boas soluções – e talvez até sobrepujá-las – que indivíduos inteligentes e maduros são capazes de encontrar quando vivem sós.

Em síntese, não cabe ficar em um relacionamento ruim apenas por medo da separação e do eventual sofrimento advindo da solidão. As dores de ruptura são parte de um processo de transição e terminam depois de um tempo mais ou menos curto – ao menos para a maior parte das pessoas. A impressão de que a vida de solteiro é dramática e triste é falsa; trata-se de uma espécie de propaganda enganosa, muito intensa até há algumas décadas, quando o casamento e a reprodução pareciam ser a única boa solução. Hoje, viver só costuma ser gratificante – muito mais do que se pode supor em virtude dos preconceitos de antigamente.

Para ser feliz no amor
Flávio Gikovate

Viver só não tem nada de ruim, sobretudo para aqueles que se entretêm com seus interesses e, em especial, com a carreira. Até recentemente, era comum eu ouvir histórias de pessoas, em geral mulheres, que diziam ter muita vontade de casar, mas não encontravam um parceiro à altura. Algumas só se interessavam por homens casados, que não davam o menor sinal de que se separariam para viver um novo relacionamento. Sofriam nessa situação – e muitas ainda vivem assim –, mas não abandonavam o parceiro. Sempre que isso acontece, fico com a impressão de que era exatamente essa a condição que a mulher desejava: viver o romance incompleto, na condição de amante.

Por vezes as pessoas se enganam, sobretudo quando estão divididas entre suas reais motivações e aquelas que lhes foram "inoculadas" pelo pensamento oficial que vigora em determinada cultura. Não é fácil decidir, deliberada e conscientemente, que se deseja ser amante; afinal, é um "cargo" subalterno, visto e tratado de forma muito preconceituosa – embora os amantes recebam tratamento melhor, mais carinhoso e gratificante do que cônjuges não amados. Pensam e dizem que querem de fato ter um companheiro, mas na prática preservam sua individualidade e, apesar de tudo, estão mais felizes com sua real condição – aquela que está de acordo com sua verdadeira natureza, com aquela entidade psíquica que chamo de consciência maior, a que não depende dos valores pregados pela sociedade. **Esse tipo de relacionamento costuma ser bem duradouro e estável porque** está em rigorosa concordância com os reais interesses dos envolvidos.

A condição de amante pode ser incômoda para a vaidade, pois as pessoas gostam de desfilar com seus parceiros queridos e estar em condição social de prestígio. Em certos momentos, também é fonte de sentimento de culpa. Porém, do ponto de vista prático, pode ser uma boa solução para aquele que se dedica ao crescimento profissional. Vive-se um amor intenso no qual se é correspondido, ao mesmo tempo que as obrigações e responsabilidades são mínimas, o tempo livre é grande e a disponibilidade para o trabalho fica preservada. Não raro esse tipo de solução tem prazo de validade e depois de alguns anos e de determinado avanço profissional a pessoa almeje um relacionamento amoroso mais efetivo e responsável. Então, toma a atitude que "os outros" achavam que ela deveria ter tomado há mais tempo.

O ser humano é fascinante e peculiar, entre outras razões, em virtude dessas aparentes contradições. Sempre que o indivíduo fica muito tempo numa situação vista pela maioria como inadequada, é porque se trata do lugar em que ele queria mesmo ficar, apesar de por vezes declarar, com sinceridade, não desejar isso para si. A pessoa se engana parcialmente e engana seus interlocutores por completo; aparece como vítima de algo que ela mesma produziu.

Para ser feliz no amor
Flávio Gikovate

O mesmo tipo de raciocínio pode ser usado para avaliarmos a conduta de moças e rapazes que têm o chamado "dedo podre": só escolhem parceiros inadequados, relacionamentos nos quais são objeto de abuso e, depois de certo tempo, terminam – porque são abandonados ou vítimas de traições e deslealdades diversas. Se em vez de analisarmos essas pessoas da ótica de um infortúnio não tão casual, uma vez que se repete com regularidade, e pensarmos que, no fundo, se trata exatamente daquilo que elas desejam, concluiremos que estão dispostas a amar sem ser amadas porque esse é o seu atual nível de maturidade.

A verdade é que elas não estão interessadas em relacionamentos que venham a prosperar, uma vez que não desejam um compromisso para valer; assim, as más escolhas sucessivas são intencionais. Experimentar relacionamentos emocionais frustrantes, nos quais são objeto de abuso, contribui para que cresçam, ganhem força e se tornem criaturas melhores. Quando tudo isso tiver acontecido, renunciarão ao dedo podre: ou escolherão um parceiro à altura ou ficarão sozinhas em paz.

Se desconsiderarmos o discurso oficial, é possível que boa parte daqueles que estão sozinhos e dizem querer estabelecer um elo sentimental estável no fundo não o deseje. Os que repetem comportamentos que reconhecem como prejudiciais são movidos por compulsões destrutivas maiores que suas forças ou agem assim exatamente porque é essa sua intenção verdadeira.

Reafirmo meu ponto de vista a favor dessa segunda hipótese no caso em questão, pois considero que temos um segundo nível de consciência, mais influente do que o pensamento oficial, devendo-se a ele essas repetições intencionais.

O exemplo mais claro desse suposto processo destrutivo é o das chamadas "mulheres que amam demais": elas se envolvem muito rapidamente e pressionam o objeto do seu encantamento para que ajam da mesma forma e com a mesma intensidade.

É claro que os homens, diante de tantas pressões inadequadas para o início de relacionamento, fogem. Então elas se dizem desesperadas, correm ainda mais ativa e agressivamente atrás deles, que fogem mais depressa ainda. Não poderia ser de outro jeito. Desejam resgatar o elo que mal havia começado a se formar? Ou querem espantar o pretendente de vez? A maior parte das mulheres que conheci e agem assim era bastante inteligente e sagaz. Fico com a segunda hipótese! Em minha forma de pensar, insisto mais uma vez, tudo que dá errado segundo a expectativa oficial e provoca ações repetitivas idênticas tinha de fato a intenção de dar errado.

Muitas pessoas, sobretudo as moças, explicitam seu anseio de priorizar a carreira em detrimento dos elos amorosos estáveis e duradouros. Dedicam-se aos estudos, inclusive no exterior, e ao início da carreira.

Reconhecem que, caso se casassem – e principalmente tivessem filhos –, ficariam em desvantagem, pois não poderiam se dedicar para valer aos seus propósitos profissionais. Essas não se enganam e deixam claro para si mesmas que o amor – e até mesmo o casamento e os filhos – só terá lugar depois de terem atingido determinado grau de evolução profissional, sendo esta última sua primeira e fundamental ambição.

Pensando de forma genérica e capaz de englobar o máximo de variáveis, eu diria que o número de pessoas que se dão bem sozinhas é maior do que o das que se queixam de sua condição. Muitos pensam que gostariam de levar uma vida a dois, mas não fazem nada para que isso ocorra; suas reclamações são só da boca para fora e compõem o discurso oficial que ainda prioriza as parcerias – embora as "punições" aos solteiros praticamente tenham deixado de existir.

O número de solteiros só cresce e isso faz sentido, pois vivemos um período de transição em que a maioria das pessoas já não quer viver relacionamentos desgastantes, mas ainda não está pronta para os elos de qualidade, baseados em afinidades. Estes implicam medos que, até o presente, ainda intimidam mais que o razoável.

Viver só é legal para as pessoas que cultivam boas e sólidas relações de amizade – insisto que hoje grande parte delas se dá no mundo virtual – com criaturas que as entendem e com quem trocam confidências. Mas que fique claro: relações de amizade sinceras e coesas são bem diferentes daquelas que, hoje, são assim chamadas. Trata-se apenas de encontros com conhecidos, não raramente em bares, em que só se conversam futilidades. Amigos de verdade são criaturas com quem podemos contar em momentos de dificuldade e ficam de fato felizes por nossos feitos; conhecidos servem para festejar e para ocupar nossa mente com conversas vazias. Aliás, amigos de verdade também gostam de conversas fúteis, mas não só isso.

Viver só é mais difícil para os que não têm interesses pessoais legítimos, aqueles cujas atividades dependem sempre de outras pessoas. Indivíduos mais imaturos e egoístas não são competentes para cuidar de si, para se ocupar com algo íntimo que não envolva criaturas das quais, de algum modo, tentarão obter facilidades. Como não se entretêm com a própria mente, saem em busca de aventuras, sobretudo de parcerias eróticas casuais, capazes de preencher seu vazio por algumas horas. Essas pessoas muitas vezes mostram-se bem sozinhas, pois são alegres, extrovertidas; na prática, porém, quase sempre convivem em bandos. Apreciam a vida descompromissada, mas gostariam de ter alguém cuidando delas, esperando-as em casa. Estando sós, passam a maior parte do tempo na rua. Demonstram felicidade e autossuficiência, mas a regra é que isso tenha muito de aparência.

Os mais generosos costumam viver melhor sozinhos. Aliás, pelo fato de estarem sós, não conseguem exercer sua generosidade no dia a dia. Se não são muito competentes

Para ser feliz no amor
Flávio Gikovate

para dedicar energia para o bem de si mesmos, aos poucos, em virtude da situação concreta, acabam aprendendo a cuidar dos seus interesses, a cozinhar para si, a manter a vida em ordem por gosto e deleite próprio. **Uma observação importante: os mais generosos, ao ficarem mais tempo sozinhos, acabam evoluindo na direção da justiça, aprendendo a cuidar melhor do que lhes convém. O avanço moral que esse período – ou estilo de vida definitivo, tanto faz – mais individualista provoca é muito bem-vindo, e penso que será um dos caminhos para a dissolução da trágica dualidade generosidade *versus* egoísmo que tem regido a vida moral da maioria das pessoas.**

A verdade é que os egoístas, obrigados a viver sozinhos por mais tempo, também acabam desenvolvendo razoável autossuficiência e sentem menos necessidade de receber tanto dos outros. Assim, também para eles o fato de estar só pode ser de grande valia. Penso sempre que os bons roteiros que deveriam nos nortear são aqueles que nos ajudam a progredir no campo emocional. A vida a dois com parceiros muito diferentes definitivamente não é um processo evolutivo, pois acaba radicalizando e perpetuando o modo de ser de cada um. Viver só acaba por definir um avanço, sobretudo nos cuidados pessoais e na direção da menor dependência do outro – que beneficia tanto egoístas como generosos. A vida a dois com um parceiro semelhante, solidário e compreensivo é estimulante e ajuda no crescimento emocional de ambos.

Para ser feliz no amor
Flávio Gikovate

Quando se pensa numa perspectiva histórica, o elogio da vida conjugal como única solução fazia todo sentido. A Terra era pouco habitada, necessitando de mais gente para explorar todas as suas possibilidades. A vida em família permitia uma espécie de contexto solidário no qual as pessoas se ajudavam nas horas de dificuldade. Os filhos acolhiam os pais na velhice. O dia a dia dos indivíduos era penoso e totalmente voltado para o trabalho e os deveres. Não existia lazer, e a divisão dos trabalhos no núcleo familiar era conveniente para todos. A gestação fora do casamento era uma tragédia para a moça e sua família, que, desonrada, ainda teria mais uma boca para alimentar.

Os avanços tecnológicos surgidos a partir do fim do século XIX criaram condições cada vez mais interessantes para que se tornassem possíveis outras formas de existir que não aquela fixa e padronizada. O que impressiona é a discrepância no tempo, pois determinadas mudanças acontecem rapidamente e outras são bem mais lentas. Quando do advento da pílula anticoncepcional de uso e controle feminino, o padrão milenar relacionado com a preservação da virgindade até o casamento – ou perto dele – se modificou em poucos anos. Porém, as mudanças relativas à vida em comum, à possibilidade de se viver só, à busca de parceiros semelhantes têm sido lentas, apesar de todas as facilidades que estão à disposição dos indivíduos.

Penso que as mudanças que acontecem rapidamente não dependem de grande evolução emocional. Para

tomar uma pílula e se sentir mais seguro para transar não são necessários empenho e sabedoria. Já viver só, trilhando o caminho das parcerias de qualidade, demanda avanços humanos complexos, difíceis e trabalhosos. Até hoje, um enorme contingente de pessoas ainda não está pronto para essa tarefa evolutiva, para esse mergulho em sua subjetividade, para enfrentar os sofrimentos necessários e crescer emocionalmente. Porém, terão de fazê-lo caso não queiram ficar para trás. O caminho é difícil, os obstáculos são muitos, mas os resultados, compensadores.

NAMOROS QUE PERDURAM: CASAR OU NÃO?

Nos relacionamentos que não caminham para o término os elos se consolidam de forma regular e sistemática; isso não quer dizer que não tenham existido divergências, pequenas mágoas e alguns problemas mais sérios. Nos casais que se dão bem e são intelectualmente honestos, os maiores problemas derivam de discrepâncias de pontos de vista. Ambos acreditam sinceramente que seu modo de avaliar dado assunto é o mais adequado e não se conformam que o outro, tão bem-dotado e lúcido, tenha concluído de forma diferente da sua. Felizmente essas pendências são poucas e costumam ser tratadas com a devida delicadeza por ambos.

Com o fim da fase de idealização, surgem os "defeitos", que devem ser entendidos de forma acrítica; trata-se das características do parceiro amado que nos aborrecem, nos irritam ou nos entristecem. Não correspondem a propriedades que nos incomodam demais, apenas a pequenas diferenças no modo de pensar, no senso de humor, na forma de contar os casos, no jeito repetitivo de falar, no hábito de esquecer pequenas coisas etc. Porém, não convém subestimarmos os defeitos, pois no dia a dia eles aparecem mais que as qualidades, que só se manifestam vez por outra.

Para ser feliz no amor
Flávio Gikovate

Nos casos em que os "defeitos" com os quais nos acostumamos incomodam pouco – inclusive transformando-os em assunto de brincadeiras – e predominam qualidades que nos alegram, seguimos em frente. Mesmo com o fim da idealização do amado, tão conveniente para que tenhamos coragem de mergulhar numa aventura tão perigosa como são as histórias de amor, sobra um saldo positivo. É claro que tudo isso tem de acontecer de forma bilateral e idêntica para ambos. O encantamento recíproco tende a crescer junto com a admiração e o respeito que um tem pelo outro. A convicção de que se está diante de uma pessoa legal e adequada se consolida cada vez mais e os medos relacionados com as possíveis rupturas diminuem, ao mesmo tempo que aumentam os relacionados com a felicidade.

O medo da felicidade sentimental não desaparece completamente, a não ser depois de muito tempo de convívio. Reaparece cada vez que algo emocionante acontece: uma viagem dos sonhos bem-sucedida, o avanço profissional ansiado por um dos parceiros, maior sucesso material etc. "Felizmente" essas coisas boas, que aumentam a cota de felicidade, não acontecem todos os dias, de modo que o clima de concórdia e serenidade toma conta do cotidiano de um casal que se ama e se dá bem de verdade.

A confiança mútua tende a crescer de forma firme e consistente, aproximando-se daquilo que poderíamos chamar de confiança absoluta, cega, de um no outro: a certeza de que não será vítima de nenhum tipo de deslealdade ou traição, de que será protegido pelo amado diante de conflitos e de que cada um é o personagem principal na vida do outro. Se existiram divergências, elas se dissolveram, não deixaram marcas; a relação, apesar de tudo, continua imaculada. Nenhuma queixa maior pode ser feita acerca da conduta da pessoa amada e nenhum dos dois consegue sequer se lembrar das razões dos desentendimentos.

Outra característica dos relacionamentos que evoluem positivamente é que as afinidades entre os que se amam só crescem. Se nas relações entre opostos as diferenças se acentuam – uma vez que o comportamento de um estimula a radicalização do comportamento do outro –, nas que se baseiam em afinidades acontece o contrário: em virtude das semelhanças iniciais e do clima de confiança e companheirismo, ambos concordam em mais e mais aspectos da vida prática cotidiana e também nas questões maiores da existência. O padrão de gastos vai-se tornando uniforme; harmonizam-se os gostos musicais e artísticos, os assuntos de interesse geral, os pontos de vista políticos etc.

O cultivo crescente de interesses comuns acaba conduzindo a um desenvolvimento individual também muito parecido, permitindo uma evolução bem alinhada – condição ótima para que, ao longo do convívio, minimize-se o risco de divergências. Os grandes temas cotidianos, aqueles que costumam gerar conflitos em tantos casais (lazer e interesses culturais, estilo de vida social, horários de dormir e acordar, atividades físicas), quase tudo vai ficando parecido. É claro que algumas discrepâncias sempre existirão, e elas costumam ser tratadas com respeito. Não existe o empenho, infrutífero, de querer modificar o amado; afinal, ele nos encantou por ser exatamente como é. Com o tempo, o que pode se assemelhar ainda mais acaba acontecendo. O que não fica parecido torna-se motivo de respeito.

As afinidades ligadas ao lazer são cada vez mais importantes, pois as questões práticas costumam ser resolvidas individualmente. É cada vez mais comum que ambos trabalhem e ganhem seu sustento; ambos sabem se defender das adversidades, ofensas e desconsiderações a que todos estamos sujeitos. Aos poucos, abandona-se a ideia de que ao homem cabe o papel de protetor. Ao menos enquanto se pensa em namoro, os debates giram em torno do que fazer no tempo livre, como já comentei. Ambos devem estar satisfeitos com os programas, os interesses e os amigos em comum. Caso haja discrepâncias, o clima de confiança absoluta que se constitui cria condições favoráveis para que cada um exerça seus interesses de forma individual. São pessoas livres que estão juntas porque se amam e porque seus interesses convergem.

E o que acontece com a vida sexual de um casal de namorados depois de um bom tempo de convívio?

Para ser feliz no amor
Flávio Gikovate

Torna-se mais morna ou continua com o vigor e a intensidade do começo? Segundo minha experiência, na maior parte dos casos a frequência das relações diminui, ao passo que a qualidade não se altera. Talvez o aspecto visual diminua um pouco, mas o contato táctil tende a ser o mesmo ao longo de todo o convívio – e estou falando de anos ou mesmo de décadas. O gosto recíproco em agradar ao parceiro nessa área deixa sempre uma lembrança agradável na mente dos que se amam, condição fundamental para que surja a vontade de repetir aquela experiência tão agradável e gratificante. É claro que não há criatividade tão grande nos temas sexuais quanto se costuma pregar e propor. Porém, a repetição pode ser igualmente adorável e prazerosa.

Tenho a impressão de que, na maioria dos casos, o que mais determina a longevidade da vida sexual dos casais é a postura das mulheres. As que efetivamente gostam de sexo como fonte de prazer pessoal – além de terem grande prazer em agradar ao amado – são as mais interessantes aos olhos dos homens, essencialmente visuais e, de certa forma, apesar de ativos, reativos. Explicando melhor: são eles que tomam a iniciativa, mas o fazem quando são estimulados a isso, quando reagem a um estímulo intenso, irresistível. Tal estímulo nasce do modo de ser e de se comportar da parceira. Mais uma vez fica claro que o sexo forte, ao menos do ponto de vista sexual, é a mulher.

Para ser feliz no amor
Flávio Gikovate

No passado os relacionamentos amorosos tinham apenas um único destino: desembocar no casamento e, depois, na reprodução. O combinado era que durassem para sempre, com os divórcios só acontecendo quando um dos dois cometia uma falta muito grave. O roteiro da vida sentimental era simples, como tantos outros aspectos da vida prática, o que não significa que era confortável nem fácil. Não era necessário pensar em como melhorar a relação. Os caminhos estavam traçados e a escolha dos parceiros, como eu disse, era pouco relevante até porque o papel do cônjuge na vida de cada um era bem menor do que hoje. Parentes, além do grupo de amigos, preenchiam muitas das lacunas que porventura ficassem em aberto por força de alianças amorosas incompletas.

Hoje, algumas décadas depois da revolução de costumes iniciada oficialmente nos anos 1960, podemo-nos perguntar: o que um casal que se ama e se dá bem deve fazer? Continuar a namorar? Casar-se? Estabelecer um compromisso do tipo "união estável" e viver em casas separadas? As questões são pertinentes, e mesmo os que se amam intensamente podem, em virtude das circunstâncias, pensar em um estilo alternativo para o convívio. O objetivo deve ser claro: preservar ao máximo o elo amoroso, evitando todos os desgastes desnecessários.

Estamos, em certo sentido, vivendo um momento de transição importante no que diz respeito ao amor e ao casamento. Se, ao longo dos últimos séculos, este último evoluiu de uma aliança operacional para uniões fundadas em um tipo de amor ainda com propriedades operacionais – elo entre opostos, complementares do ponto de vista prático –, hoje vivemos uma transição ainda mais relevante. Essa fase é complexa e rica em obstáculos inesperados, condição inevitável para um período de mudanças tão radicais.

A transição que estamos vivendo diz respeito à mudança do caráter das alianças amorosas e, em consequência, dos casamentos e de suas alternativas: elas deixam de ser essencialmente práticas, ao mesmo tempo que o elemento simbólico do amor ganha espaço.

Hoje, os homens conseguem se virar dentro de casa e as mulheres sabem muito bem como ir em busca de sua sobrevivência material. Não há mais necessidade de separar os papéis, a não ser por gosto ou acordo entre os que se amam. A semelhança de estilos de vida é interessante inclusive porque aproxima homens e mulheres em seus universos de interesse. Além disso, fica claro que o casamento tradicional deixa de ser a única opção existencial e as portas se abrem para toda e qualquer inovação em termos de estilo de vida. A liberdade está crescendo e muitos já começam a pensar de modo menos padronizado, menos condizente com normas tradicionais que, segundo penso, tendem a se transformar em apenas uma das opções possíveis para a vida sentimental.

Para ser feliz no amor
Flávio Gikovate

Assim, convém pensarmos na melhor maneira de preservar a boa qualidade da relação, deixando de lado a preocupação de nos adequarmos formalmente à norma conjugal – que é, antes de tudo, uma sociedade civil. Não estou me colocando contra o casamento, mas ponderando as vantagens e desvantagens que cada casal terá ao optar por essa ou aquela solução. O objetivo, repito, é preservar o aspecto simbólico do amor, o mais relevante e adequado para a fase adulta das pessoas mais maduras.

Quando pensamos em namoro hoje, precisamos levar em consideração que um enorme contingente de pessoas se casa e se divorcia em todas as fases da vida, ou seja, existem pessoas solteiras em todas as idades. Os que já foram casados talvez tenham desenvolvido mais reservas à vida em comum porque já experimentaram aspectos complicados do ponto de vista do cotidiano. Pessoas ordeiras não convivem bem com as que não ligam para a bagunça. Os que gostam de ver TV na cama nem sempre querem alguém do lado reclamando da luminosidade ou do som. Talvez já tenham se aborrecido mais do que gostariam no convívio com os próprios parentes ou com os do cônjuge. Enfim, já sabem que o casamento implica uma série de obstáculos práticos nem sempre tão fáceis de superar.

O problema se torna ainda mais complicado quando ambos os namorados já foram casados – sobretudo se têm filhos de relacionamentos anteriores. O convívio de tanta gente que pode ou não se dar bem e se vê obrigada a estar junta pode ser desastroso. Os filhos de casamentos anteriores não raro sofrem a influência do que ouvem do ex-cônjuge e podem ter ciúme e raiva dos novos parceiros de seus pais. Por vezes, acabam sabotando o novo casal, tentando prejudicar ao máximo seu convívio.

Não resta a menor dúvida de que, salvo os raros casos em que a relação das crianças com os novos "pais" e deles com os novos "filhos" seja harmonioso, o melhor é cada um dos parceiros continuar morando na própria casa. Ou seja, que se formem alianças de convívio sólido, confiança total na estabilidade do vínculo e cotidiano mais individual no intuito de preservar os bons momentos de intimidade do casal que se ama. Tudo deve estar a serviço da melhor qualidade do tempo em comum e do mínimo desgaste da relação em decorrência de problemas práticos.

Casais que se encontram na meia-idade também costumam ter projetos práticos – casa, reservas materiais, ter ou não filhos – equacionados de forma individual. Se estiverem habituados a encaminhar seus projetos de forma individualista e não pretenderem dividir as questões de ordem prática, nada contra o fato de serem namorados por tempo indeterminado – são os "namoridos", neologismo que em breve será inserido nos dicionários.

A situação é completamente diferente quando dois jovens se encontram e decidem elaborar e construir projetos em comum, o que gera um clima mais propício para o casamento tradicional (levando em conta, é claro, os tempos que correm). Nesse caso, o casamento pode ser uma boa solução operacional e também sentimental. **O essencial é pensar de forma não padronizada, abrir a mente para o fato de que o amor, no aspecto simbólico, deve estar acima de qualquer norma ou regulamento.**

Os casais que decidem se casar e viver na mesma casa podem ter estilos de vida não tão afinados. Dependendo da natureza dessas diferenças e até das dimensões do espaço físico de que dispõem, poderão viver juntos, casados ou não formalmente, mas levando um estilo de vida mais independente, sendo mais individualistas, por vezes viajando sozinhos para suas aventuras esportivas – ou mesmo espirituais. Outros serão mais "grudados" e, por força de suas afinidades, tenderão a passar a maior parte do tempo livre juntos. **Cada casal deve buscar seu jeito de viver bem, sem acumular mágoas nem fazer excessivas concessões – elas sempre saem muito caras!**

Os que se amam podem decidir se casar e morar em casas separadas mesmo quando não há impedimentos maiores do que hábitos cotidianos discrepantes, ligados aos horários de trabalho, ao modo como gostam de cuidar de suas coisas, aos hábitos religiosos e a tudo que seja motivo de atritos desnecessários que podem ser evitados graças a medidas concretas que, no passado, sequer passavam pela mente das pessoas. Da mesma forma, podem morar na mesma casa e preferir dormir em quartos separados porque seus hábitos noturnos são incompatíveis, porque um deles ronca demais, porque os horários não combinam etc. É patético perceber que, até hoje, casais em que um deles ronca muito alto e o outro tem sono leve se digladiam a noite inteira quando, na casa, existe um quarto desocupado.

A ideia fundamental deste capítulo é mostrar as oportunidades que estão surgindo com as mudanças que estão em curso e abrem novas e interessantes possibilidades sentimentais para as pessoas. Tenho a impressão de que a maior parte delas ainda não se deu conta do grau de liberdade que têm e continua a pensar nos aspectos práticos da vida em comum de forma padronizada e antiquada. Sei bem, e já repeti várias vezes aqui, que os indivíduos se modificam numa velocidade muito diferente daquilo que acontece ao seu redor. Assim, quase sempre existe discrepância entre as oportunidades que estão aí e a forma como a maior parte das pessoas vive.

Penso que é preciso um pouco mais de ousadia e coragem dos que se amam para encontrar o melhor caminho para viver uma relação plena. Isso pode implicar viver juntos, em casas separadas, em cidades diferentes etc. As crenças tradicionais não devem mais interferir nesse tipo de decisão, pois elas já não servem para o momento atual. **O importante é perceber que o sentimento que une duas pessoas provoca calor e bem-estar** tais que, mesmo quando elas não estão juntas, sentem-se o tempo todo próximas. Essa é a grande vantagem quando o elo é essencialmente simbólico.

O CASAMENTO

Em certos aspectos, viver a dois está mais fácil do que antigamente; a energia gasta para resolver as questões objetivas da vida é menor, o número de filhos também se reduziu e o cotidiano, para quem não complicar, mostra-se mais simples. Por outro lado, há novas dificuldades, uma vez que no passado os homens mandavam e as mulheres obedeciam. Antes era uma só "cabeça" operando, hoje são dois a decidir tudo em conjunto, de modo que as afinidades, insisto, são indispensáveis. Também é fato que não mais existe a possibilidade de acomodação a esse estado, pois as separações se tornaram mais fáceis e frequentes. Assim, o nível de exigência e as expectativas que determinavam a vida dos namorados tendem a continuar ao longo do tempo de casados.

As expectativas sentimentais relacionadas com o elo sentimental cresceram muito, uma vez que os casais passam a maior parte do tempo em casa e o convívio com amigos e parentes só tem diminuído. Assim, um tem de suprir os anseios emocionais do outro de forma mais exacerbada. No passado, as fontes de aconchego eram várias e não se alteravam tanto com o casamento. Hoje se espera demais do elo conjugal, o que torna o relacionamento mais problemático.

Para ser feliz no amor
Flávio Gikovate

Se até há poucas décadas o casamento correspondia ao fim de uma fase romântica e descompromissada, na qual a lua de mel era uma espécie de despedida da boa vida, hoje não é mais assim. As pessoas continuam a esperar do casamento prazeres eróticos, ternura e tudo de bom que existia no namoro, acrescido de certas facilidades até então inéditas. Com a coabitação, inúmeros homens ainda esperam receber da esposa os cuidados que lhes eram dados pela mãe – comida ao seu gosto, camisas passadas do "jeito certo" etc. Isso é ainda mais verdadeiro para aqueles que saíram da casa dos pais diretamente para a residência do casal.

Já a mulher espera do marido a mesma atenção que lhe era dedicada antes. Quer receber flores com regularidade, presentes nas datas significativas, cuidados ligados aos aspectos ditos "masculinos" da vida em comum: pequenos consertos na casa, cuidados com o carro etc. Apesar de toda a modernidade igualitária, essas deferências ainda são esperadas – constituindo mais uma prova de amor do que algo relacionado com as necessidades práticas de cada um.

Acho adequado encarar o casamento como uma extensão do namoro, no qual as questões práticas têm sido um tanto subestimadas e as expectativas românticas não só não diminuem como, de certo modo, aumentam. Hoje pensamos nos casados como "eternos namorados", aqueles que devem continuar a cuidar do ângulo simbólico da relação e também de aspectos práticos – que, na verdade, se transformam também em simbólicos. Quando a mulher vai para a cozinha e prepara um bolo para o marido, realiza um gesto operacional pouco relevante – o bolo pode ser comprado com facilidade –, mas cujo lado simbólico tem extrema importância. O mesmo vale para os cuidados masculinos tradicionais – abrir a porta do elevador, do carro, puxar uma cadeira...

Se, no passado, a tendência era a de negligenciar todos esses aspectos simbólicos de carinho – afinal, já estavam casados e assim ficariam até o fim dos seus dias –, hoje o cuidado com o outro têm de continuar. Eu diria até que deve se acentuar, pois alguns aspectos da vida prática se complicam à medida que o casamento evolui. Além disso, é sempre bom lembrar que, para sobreviver, os casamentos terão de dar às pessoas algo a mais que o oferecido pela vida de solteiro, que por sua vez está cada vez melhor. Convém pensar que a qualidade de vida dos solteiros corresponde à "nota de corte" para os casamentos. Aqueles que tiverem qualidade inferior dificilmente sobreviverão.

Para o bem e a longevidade dos casamentos, é bom que o par mantenha longas e sinceras conversas, nas quais deliberem sobre o maior número possível de itens que constituirão os primeiros pilares da vida a dois. É indispensável que concordem em vários aspectos essenciais. Como seus pontos de vista poderão se modificar com o passar dos anos, as conversas e negociações tenderão a ser contínuas, sempre no intuito de manter o casal coeso e unido em torno de posturas com as quais ambos concordam. Não são poucos os temas que devem ser muito bem conversados antecipadamente; o principal deles diz respeito a ter ou não filhos.

Às vezes as moças ouvem do namorado que eles não querem ter filhos, mas não levam tal afirmação a sério, pensando que "depois de casados eles mudarão de ideia". Ou, pior ainda, acham que "farão a cabeça deles" graças aos seus encantos e eles não deixarão de atender a um desejo assim tão intenso e "natural". Esse não é um bom modo de pensar, muito menos de iniciar um relacionamento sério. Pode até ser que o marido venha a aceitar posteriormente a ideia de ter filhos para não decepcionar a esposa. Talvez ele até se encante pela criança. Porém, no fundo de sua mente sempre ficará a ideia de que algo dessa magnitude e responsabilidade lhe foi imposto – o que pode ser fonte de mágoa, uma mancha daquelas que não saem quando lavadas. O relacionamento pode até continuar bem, mas ficou "maculado".

Conversas complexas também costumam acontecer quando se trata de dinheiro. É claro que elas são mais frequentes e difíceis quando há diferenças de condição financeira entre os noivos e, sobretudo, quando tais diferenças envolvem a família de ambos. Os mais abonados tentam impor o casamento com separação total de bens, o que costuma ser mal recebido pelo futuro cônjuge (e por sua família) – sentem-se tratados como interesseiros. Não sei opinar sobre isso de forma definitiva; pela minha experiência, os mais ricos tendem a ser um tanto desconfiados e creem que os interesses, em algum momento do relacionamento, podem se manifestar.

Não discordo dessa hipótese, pois já vi isso acontecer mais de uma vez. Penso que os documentos assinados na hora do casamento deveriam ser vistos como relevantes apenas para os casos de divórcio. Ou seja, durante o convívio – que pode (e tenderá cada vez mais a) durar para sempre – o regime deve ser o da comunhão de bens. Não pelos bens, mas pela comunhão! Não faz sentido que os membros de um casal deem tratamento financeiro diferente às questões concretas do cotidiano. Não importa o nome que consta da escritura do imóvel onde vivem, desde que ambos reconheçam que estão na "nossa casa" e tenham acesso ao mesmo padrão de gastos que foi decidido em comum acordo, bem como contas bancárias e cartões de crédito conjuntos.

O essencial é que ambos conversem muito sobre todos os temas ligados ao dinheiro, pois não se trata de um assunto qualquer. É fundamental que estejam de acordo com determinada filosofia de gastos e de poupança. Se o esforço de poupança for feito por ambos, nada mais justo que os frutos sejam dos dois – é pedir demais de um ser humano que ele poupe apenas para o bem do parceiro sem que isso redunde em nenhum benefício (imediato ou futuro) também para ele. E o mais importante: o que for combinado tem de ser cumprido por ambos! Caso isso não aconteça, pode

soar como deslealdade – e deslealdade é "pecado capital" no contexto amoroso moderno.

Outro assunto que costuma ser objeto de confusão, quando não de conflito, são as relações familiares. Quando ambos são bem desapegados, não existe problema. Mas não é raro que um ou os dois membros do casal tenham relações intensas, por vezes também de caráter profissional, com os parentes. É necessário combinar com que frequência vão se encontrar, como serão os finais de semana, que procedimento adotar quando chegarem os filhos; afinal, eles serão netos, e os avós têm seus direitos.

Também é fundamental conversar bastante sobre o papel de cada cônjuge na vida do outro. Acho bom que se parta do princípio que um será a prioridade na vida do outro. Isso parece óbvio, mas não é. Com a chegada dos filhos, não raro as mulheres se voltam para a maternidade de uma forma que os homens registram como rejeição e desconsideração. Isso é inevitável durante os primeiros meses de vida do bebê; é bom levar em conta que a dedicação da mãe aos filhos costuma gerar forte ciúme sentimental no marido. Nada deve ser subestimado nem tratado como irrelevante, pois as mágoas se formam com facilidade e são difíceis de desfazer. É sempre melhor prevenir que remediar.

Ao escrever sobre esses assuntos que devem ser objeto de conversas prévias, quero deixar claro que a última

coisa que deveria passar pela cabeça dos que vão se casar é que o amor resolve tudo, supera todos os obstáculos, faz tudo dar certo. Não é assim que as coisas funcionam. O casamento é uma empreitada que exige dedicação e atenção permanentes. Demanda saber o tempo todo se o parceiro está feliz, se está recebendo os cuidados sentimentais de que necessita, se está feliz com o estilo de vida que estão levando.

O bom relacionamento conjugal exige conversas francas, delicadas e contínuas entre os que se amam. Afinal, poderão acontecer muitos problemas e mudanças ao longo do caminho, e quem está se casando pela primeira vez não conhece todos os detalhes e dificuldades da coabitação. O que não tem cabimento é subestimar as dificuldades de uma empreitada que, na prática, tem mais de 50% de casos de fracasso. O amor é o que une um casal; o que mantém e dá continuidade à vida conjugal boa e rica são os planos e projetos em comum e sua concretização – sempre feita com a sincera concordância de ambos.

Os que se casam acrescentam a suas preocupações costumeiras inúmeros outros afazeres, gastos, cuidados com os filhos, atenção à própria família e à do cônjuge – entre outros problemas que os solteiros não enfrentam na mesma quantidade e intensidade. **Um dos cuidados a tomar é impedir que esses aspectos operacionais diminuam o caráter simbólico do amor. O casal terá de encontrar tempo para si, para namorar, ir ao cinema, sair com os amigos e também sozinhos.**

Para ser feliz no amor
Flávio Gikovate

Não é fácil reservar um tempo para si e para o casal, pois as pessoas do bem e responsáveis tendem a mergulhar em suas responsabilidades. São governadas por uma regra geral que diz que primeiro se deve tratar das obrigações para depois usufruir dos momentos de lazer. Se não tomarem cuidado, os afazeres serão tantos e tão exigentes que quase nunca terão tempo para os momentos de descanso e divertimento. Assim, o casamento tende a se tornar cansativo: exigente demais e pouco gratificante. As preocupações crescem e a leveza tende a se esvair. Isso sem contar as dificuldades de cada um nas atividades fora do lar – sobretudo no ambiente de trabalho, cada vez mais competitivo.

Quando se casam, as pessoas responsáveis levam a sério seus novos deveres e obrigações. Os homens, a quem psicologicamente ainda cabe a maior preocupação acerca do sustento da família, tornam-se mais apreensivos com o trabalho e tendem a poupar mais. As mulheres se voltam para o bom andamento das tarefas ligadas à casa e, sobretudo, para a educação dos filhos. São atividades bem mais sérias do que os passeios descompromissados dos namorados apaixonados que eles foram até há pouco tempo.

Como manter um bom nível de entretenimento, de erotismo e de alegrias num contexto assim tão complexo? Como evitar que a vida se torne tediosa e repetitiva? Talvez esse seja o maior e mais difícil desafio dentre os tantos que os casais têm de enfrentar para que o amor, a ternura, o sexo e a alegria de viver não fiquem perdidos em meio a deveres, obrigações e preocupações. Estas últimas são as mais extenuantes, já que estão ligadas à prevenção de riscos, problemas e dificuldades futuras.

Quando se tem filhos, o futuro se torna muito mais preocupante. Aliás, o presente também, pois qualquer doença menor em um deles já é motivo de grande apreensão. É por essas múltiplas razões que cabem as conversas e negociações acerca de que tipo de vida o casal vai levar, se terão filhos ou não, se vão poupar uma boa parte do que ganham, se desejam aproveitar a vida juntos ou construir um patrimônio e uma família. Tudo deve ser ponderado para que as pessoas não levem sustos nem se decepcionem.

Uma grande queixa dos casados, sobretudo quando têm filhos, é em relação ao tédio, à rotina, ao fato de a vida gravitar demais em torno das crianças e de seus problemas. As conversas versam sobre os problemas práticos da vida doméstica; pouco se dialoga sobre filmes, músicas, programas de fim de semana que fizeram ou pretendem fazer. Menos ainda se fala de livros, de coisas novas que aprenderam – enfim, de assuntos intrigantes que possam ativar pensamentos criativos e originais. A rotina, o cotidiano sempre muito parecido, torna a vida menos agradável.

Com o passar dos anos, surgem outros problemas capazes de subtrair a alegria e a disposição criativa de um casal. Os pais vão ficando mais velhos, tornam-se um tanto

Para ser feliz no amor
Flávio Gikovate

dependentes, adoecem, morrem. Irmãos menos bem-sucedidos podem se tornar figuras problemáticas no seio da família. As questões profissionais e financeiras também podem trazer surpresas desagradáveis, e assim por diante. É claro que esses infortúnios também acometem os que vivem sós e os que namoram sem se casar. Porém, não há dúvida de que são mais intensos entre os casados, pois os problemas de um são também do outro – de certo modo, eles dobram.

Além disso, a constituição de um núcleo familiar formal também tem um caráter simbólico importante em nossa cultura, de modo que um marido sente-se mais responsável diante de certos problemas e adversidades do que um namorado.

É por motivos como esses que creio não haver nenhum tipo de relacionamento que seja mais exigente e ajude mais as pessoas a evoluir emocional e praticamente do que o casamento. Os casados carregam um fardo maior que, quando compartilhado, ajuda no crescimento interior de cada um. Só tenho me referido a casamentos de boa qualidade porque não acredito que os tradicionais elos, em que um cuida e o outro é cuidado, continuarão a existir. E os que existirem se desfarão rapidamente ou evoluirão para relacionamentos cooperativos e solidários.

O maior desafio dos casais constituídos por pessoas do bem, que gostam de se sentir úteis e agradar um ao outro, consiste, pois, em encontrar meios para, apesar de todas as questões práticas, continuar a ter tempo para "namorar" – ou seja, para conversar sobre seus assuntos favoritos e praticar as atividades de que gostam juntos, inclusive manter acesa a chama do erotismo. Não se deve subestimar essa questão, pois muitos jovens imaginam que os casados, que dormem juntos todas as noites, mantêm uma vida sexual mais ativa. Não é verdade.

A vida sexual mais ativa é regra entre aqueles que se encontram por algumas horas durante a semana e nos casos em que essa é a finalidade principal. Os amantes, mais até do que os namorados, não costumam perder tempo com assuntos práticos e só se ocupam de namorar e transar. Como os encontros são clandestinos, não têm vida social e se dedicam exclusivamente um ao outro, ao menos quando estão juntos. Os namorados nem sempre se veem todo dia e têm outros afazeres, além de uma vida social mais ou menos intensa. Ainda assim, são sexualmente ativos, sendo raras as semanas em que as transas não acontecem em quantidade suficiente para agradar a ambos.

No que se refere aos casados, é fato que a maioria divide a mesma cama e vai dormir junto. Mortos de cansaço! Essa seria a hora em que tentariam fazer alguma coisa ligada ao erótico; isso depois de um dia estafante de trabalho, cuidados com os filhos e outras obrigações. O sexo vira a última atividade do dia, não raro sendo adiada. Aliás, a fartura tem essa propriedade:

Para ser feliz no amor
Flávio Gikovate

já que estamos exaustos hoje e temos todas as noites da vida para transar, deixamos para amanhã. E depois para depois de amanhã. E assim por diante.

A verdade é que as estatísticas que nos chegam são bastante desalentadoras – casais unidos há pouco tempo mantêm, em média, três a quatro relações sexuais por mês. Não estou preocupado com a frequência, uma vez que a qualidade das relações entre os que se amam costuma se manter muito boa e gratificante para ambos. O que preocupa é a displicência com que tratam os prazeres e a seriedade com que lidam com as responsabilidades. Afinal, em médio ou longo prazo isso pode ter desdobramentos ruins. Por que não ativar um pouco mais o universo das coisas boas? Por que não se organizar para namorar um pouco mais, apesar de todos os problemas?

É essencial que o casal encontre meios de passar alguns dias de férias a sós, longe de parentes, amigos e filhos. Costumam ser momentos mágicos, de reencontro daquela intensidade sentimental que justificou a união e, como regra, foi ocultada pelas questões operacionais. Ativar os mais profundos sentimentos amorosos, o prazer da companhia, as brincadeiras quase infantis, o bom humor, ter tempo para rolar na cama sem pressa de acordar, ir à praia, passear de mãos dadas, jantar em lugares aconchegantes e românticos ajuda muito mais do que se pensa. E como é gostoso, mesmo nos momentos de cansaço e sacrifício, evocar essas lembranças que dão graça e beleza à vida em comum!

epílogo

Chego ao final deste livro com uma sensação boa, de otimismo, apesar de ter tentado descrever todos os obstáculos que surgem no caminho dos que pretendem ter uma vida amorosa de qualidade. O medo do amor, as dificuldades de relacionamentos entre pessoas mais imaturas e todos os conflitos que daí derivam são superáveis – isso, claro, para aqueles que estiverem dispostos a evoluir emocionalmente.

Acho conveniente rever agora aspectos fundamentais do que escrevi e colocá-los na devida perspectiva e importância. Um deles é que a tecnologia, ainda que com algum tempo de atraso, vem determinando mudanças importantíssimas na forma como vivemos e até mesmo no grau de maturidade da média da população. Os avanços contemporâneos, todos direcionados para o crescente individualismo, acabarão por criar condições favoráveis para que muito mais gente viva só e feliz nessa condição. Há outros atenuantes, que não o encaixe amoroso, para a sensação de incompletude e desamparo que nos acompanha desde o nascimento.

Relações de má qualidade, em que um cuida e o outro é cuidado, em que um recebe e reclama e o outro dá e tolera demais, estão ficando obsoletas. O referencial para a obsolescência é a qualidade de vida dos solteiros. Com os avanços que temos presenciado, o fim dos preconceitos contra os que estão sós e a liberdade de que eles podem usufruir, fica claro que sua condição de vida é excelente – muito melhor do que a sentida nos relacionamentos de má qualidade. Isso, do meu ponto de vista, sela o destino dos maus casamentos. Estes vão desaparecer. No futuro, teremos solteiros e muito bem-casados!

O desenvolvimento tecnológico que gerou a boa qualidade de vida dos solteiros tem deixado as pessoas pouco tolerantes a convívios recheados de conflitos e discussões estéreis. Assim, um dos avanços essenciais é que as pessoas têm se preocupado mais com o rigor da comunicação: falar é fácil; ser ouvido e entendido no sentido que se pretende é bem mais difícil e exige um discurso cuidadoso, carinhoso e educado. Ser ouvido, entendido e objeto de atenção e reflexão acerca do que se disse é essencial para a boa comunicação, sobretudo se aquele que falou estiver também disposto a ouvir e a ponderar com honestidade sobre o que foi dito. Sem isso não há diálogo verdadeiro.

As relações amorosas tenderão a se aproximar do que chamamos de amizade, configurada pelo prazer e alegria da companhia, pela confiança, pela existência de um interlocutor, pela intimidade que não se interrompe nem mesmo com longos afastamentos. As amizades implicam pouca dependência, ainda que nos elos amorosos ela seja um tanto mais intensa.

Para ser feliz no amor
Flávio Gikovate

As amizades correspondem a um tipo de prazer essencialmente positivo, ou seja, aquele que não se correlaciona ao apaziguamento de nenhuma dor prévia. Estar com o amigo é sempre bom e independe de como nos sentimos. Já o amor tem um componente ligado aos prazeres chamados de negativos: funciona como atenuador da dor do desamparo. Porém, tem ainda outro ingrediente mais parecido com a amizade, que se baseia em lealdade, confiança e prazer nas atividades praticadas em conjunto. Isso tudo gera um enorme prazer positivo, especialmente se for também fonte de prazer erótico! Afinal, nada impede que o parceiro amado seja o nosso melhor amigo.

O amor em que predominam os prazeres positivos da amizade, do erotismo e das afinidades intelectuais corresponde ao que tenho chamado de +amor, algo que, por ser bem diferente do que se chamava de amor no passado, deve ser diferenciado dele. O +amor exige desenvolvimento emocional bilateral e respeita a individualidade de cada um. É o amor moderno, o único que tem qualidade superior ao estilo de vida dos que estão sós.

Fica claro que aqueles que quiserem usufruir o presente de modo pleno terão de se desenvolver emocionalmente. Isso é trabalhoso, exige sacrifícios, determinação, disciplina, coragem para enfrentar o medo, "porosidade" para ser permeável ao novo e tantos outros requisitos, que embora difíceis de ser alcançados, quando conquistados geram enorme prazer íntimo. Apenas essas pessoas poderão viver da melhor forma possível os bons relacionamentos de amizade e também os novos elos amorosos.

No entanto, não convém subestimar as dificuldades: o amor moderno é bastante exigente! Por mais estranho que pareça, as facilidades que encontramos na solução das questões práticas – operacionais – graças aos avanços tecnológicos vêm acompanhadas de um nível crescente de expectativas entre os que se amam. Como os vínculos são frouxos, já que as pessoas conseguem viver bem sozinhas, não haverá a menor hipótese de os indivíduos se acomodarem num contexto sentimental medíocre.

Não haverá acomodação nos namoros nem nos casamentos, pois todos os que não forem satisfatórios se romperão com facilidade. Não existe mais espaço para os relacionamentos que, ainda que em nome do amor, eram de pura conveniência para ambos: maridos provedores, que tinham amantes com as quais mantinham elos sentimentais mais significativos do que os conjugais; e esposas que aceitavam isso em nome de sua posição social e de conforto material.

O nível de exigência passa por companheirismo, por convívio íntimo sincero e consistente, pela decisão de cada um ser prioridade na vida do outro, pela efetiva cumplicidade nos assuntos essenciais do cotidiano, inclusive no sentido de um ser o parceiro e defensor do outro perante ameaças ou disputas externas – ainda que oriundas dos próprios parentes. A cumplicidade implica que, durante o convívio, a comunhão dos bens exista de modo claro – ou seja, que o par viva segundo o mesmo nível de gastos e seja solidário ante alguma dificuldade material mais grave e inesperada. Cumplicidade não é uma palavra; é um compromisso, um estilo de viver junto. É participar do jogo da vida como uma dupla, na qual não cabe deslealdade ou traição de nenhum tipo.

A propósito de deslealdade e traição, penso que os elos sentimentais de qualidade têm uma exigência de fidelidade em todos os sentidos da palavra. Esse é mais um aspecto que exige maturidade: os que vivem a dois deverão ter competência para tolerar as frustrações que derivam dos desejos não satisfeitos.

Temos certos "compromissos" com nossa natureza animal, de modo que os impulsos sexuais múltiplos não desaparecem apenas porque estamos sentimentalmente comprometidos. Há tempos escrevi e repito aqui: desejo não é ordem. Desejo é uma vontade cuja não realização provoca apenas certa frustração. Considerar o desejo sexual mais importante que a qualidade do elo sentimental é algo que beira o ridículo quando pensamos em nós, humanos racionais, que nos alimentamos mais do que tudo daquilo que nossa mente é capaz de sentir e produzir. Abrir mão de certos prazeres imediatos em favor de algo mais consistente e relevante é importante sinal de maturidade emocional e de autodomínio.

Para ser feliz no amor
Flávio Gikovate

Quando penso nos elos emocionais, pouco considero as diferenças entre tipos de namoro. Cada um tem seus prós e contras, todos têm aspectos positivos e negativos. Penso também que não convém superestimar o casamento como tem sido a norma, sobretudo pelas mulheres, ao longo do tempo. Trata-se de uma relação rica em dificuldades, que não deve mais ser vista como sinal de que a pessoa evoluiu para outro patamar existencial. O casamento continua sendo uma solução interessante para o aspecto operacional em determinados relacionamentos amorosos de qualidade. No entanto, corresponde a um desastre anunciado para os que se casam segundo os padrões tradicionais fundamentados em diferenças c complementaridade.

Colocar o casamento como meta é dar ao aspecto operacional do amor o papel principal. O individualismo moderno, a meu ver gerador de aspectos muito mais positivos do que se costuma atribuir a ele, cria condições para que isso se modifique. À medida que cada um é cada vez mais capaz de cuidar de si, os elos sentimentais terão mais componentes simbólicos do que operacionais, como afirmei diversas vezes.

Isso também deveria ser levado em conta quando se pensa nos aspectos sociais da modernidade. A pessoa individualista não será menos solidária, menos competente para avaliar e entender os interesses coletivos. Muitos desses aspectos sociais também são simbólicos. Penso no individualismo como um estado mental no qual a preocupação social é menos operacional e mais simbólica!

Em outras palavras, o indivíduo não vê no social um meio de se beneficiar – isso é egoísmo; tenderá a ver o lado humano, épico mesmo, de um coletivo que progride, em que todos se beneficiam.

Meu otimismo se baseia no fato de que só vejo vantagens no que está acontecendo no aspecto emocional dos seres humanos em decorrência dos avanços tecnológicos recentes. Acho que a maior parte das pessoas ainda não se deu conta sequer de quanto estão sendo beneficiadas por mudanças no plano emocional, pois elas ainda são incipientes e pouco palpáveis. Nosso progresso emocional, além disso, também não aparece nas manchetes dos jornais, hoje muito mais preocupadas com os aspectos horríveis da modernidade.

Acompanho e, como todos, preocupo-me com as desvantagens concretas e a necessidade de administrar com mais cuidado os desdobramentos dos avanços tecnológicos e suas consequências ecológicas. Acho que nesse ponto tendemos a certo otimismo exagerado, considerando que a própria ciência dará solução aos problemas relacionados aos estragos que temos feito no planeta.

Submersas nesse mar de notícias ruins acerca da política, da economia, dos desastres ambientais, das guerras e outras formas de violência, há mudanças ainda não devidamente noticiadas. São acontecimentos extraordinários do ponto de vista humano, esses sim capazes de alterar o rumo destrutivo de tantas dessas ações. Às vezes as pessoas demoram a ver o aspecto positivo de algumas mudanças porque elas implicam o uso de certas palavras que, na tradição, têm caráter negativo. É o que tem acontecido com o "individualismo" contemporâneo.

Na prática, individualismo significa o fim do egoísmo. Com isso todos estariam de acordo, não fosse o fato de que muitos veem no individualismo exatamente a exaltação do egoísmo – o que, a meu ver, é um grave equívoco. Se entendermos egoísmo como necessidade ou gosto de se apropriar do que não é seu, veremos que ele se funda num tipo de elo que facilite esse tipo de abuso de outros. Ora, num mundo povoado por individualistas, os egoístas não terão essa oportunidade porque ninguém estará disposto a lhes conceder vantagens indevidas, e então cada um terá de encontrar em si os recursos para a autossuficiência.

Aqueles que vivem sós por certo período aprendem a se tornar independentes e a cuidar melhor de si mesmos. Desenvolvem prazer e orgulho por ser capazes disso. Avançam assim na direção da justiça, abandonando tanto o egoísmo como a generosidade originais. **Aliás, o fim da generosidade não corresponde ao reinado do egoísmo, como tantos pensam, mas ao fim do egoísmo, pois um se alimenta do outro. Sem generosos não existirão egoístas, e aí reside o engano dos que se insurgem contra o individualismo. O fim da generosidade não é o fim do altruísmo nem da solidariedade,** mas dos abusos praticados por uns tantos egoístas. O termo "altruísmo" está ligado ao simbólico – ajuda a terceiros sem nenhum benefício pessoal. Já a palavra "generosidade" é operacional, pois implica domínio sobre os que recebem as benesses – os egoístas.

Dentro dessa sequência de pensamentos, espero estar deixando claro que as mudanças em curso, tanto na boa qualidade de vida dos que estão sós quanto na natureza das relações amorosas, têm potencial revolucionário impressionante. Não estamos diante apenas de uma simples "atualização" de estilos de vida, mas de mudanças estruturais na nossa forma de viver, de pensar e, sobretudo, de refletir sobre a questão moral. As mudanças no plano sentimental têm a capacidade de alterar os valores éticos de toda uma sociedade.

Não deixa de ser curioso pensar que tanto o amor de qualidade como o viver só têm enorme potencial salvador. Ambos criam uma condição excepcional, quase compulsória, para que as pessoas amadureçam, e isso implica obrigatoriamente o fim da dualidade egoísmo *versus* generosidade, estimulando o surgimento de pessoas de fato justas. E serão elas, e só elas, aquelas capazes de criar um mundo melhor.

www.gruposummus.com.br

IMPRESSO NA GRÁFICA sumago
sumago gráfica editorial ltda
rua itauna, 789 vila maria
02111-031 são paulo   sp
tel e fax 11 **2955 5636**
sumago@sumago.com.br